La Fuente
de las
Calaveras

LA FUENTE
DE LAS CALAVERAS

By WALTER T. PATTISON

UNIVERSITY OF MINNESOTA

Illustrations by EDMUND M. KOPIETZ

Appleton-Century-Crofts, Inc. New York

682–9

P R E F A C E

THIS book is written in everyday Spanish without any literary pretensions but also without any strict vocabulary limitations. Its purpose is to bridge the gap between the necessarily truncated style of the early readers and the full-blown literary prose of the Hispanic literatures into which the students are more often pushed than led. In ordinary classes it should be used at the beginning of the third semester or quarter; in exceptionally good classes it could be read at the end of the second semester. It could also be profitably employed for outside reading in either the third or fourth semester.

The author takes pleasure in giving public thanks to the many colleagues and friends who have helped him with suggestions and amendments: to Professor Raymond L. Grismer, Dr. J. O. Embry and Mr. Irving Spiegel for reading the original manuscript; to Mr. Isaac Herman of Colombia and especially to Dr. Juan Oropesa of Venezuela for invaluable advice on many matters of style; and to Professor J. W. Barlow of New York University for scrutinizing and judicious criticism. Finally, thanks are due to Mr. Edmund M. Kopietz, Director of the Minneapolis School of Art, for his enthusiastic and painstaking work on the illustrations, to Mr. Solomon S. Spector for a close check of the vocabulary and to the author's wife for her constant and ever-present collaboration.

W. T. P.

CONTENTS

CONTENTS

La Fuente
de las Calaveras

1 Desaparece un libro

En la sala de lectura de la Academia Nacional de la Historia Roberto Blakesly volvía lentamente las páginas de un librote. Roberto estaba francamente un poquito descorazonado. Miraba, sin ver, los jeroglíficos aztecas que llenaban las páginas del libro— el tomo treinta y dos de la serie *Famosos monumentos de la lengua azteca*—diciendo mientras suspiraba: «Sólo me quedan diez tomos por leer. Y pensar que yo vine aquí a México para descubrir un templo, una pirámide, o al menos los huesos de algún hombre ya desaparecido de la tierra. Estudié cuatro años de arqueología en Harvard, y cuando por fin vengo acá lleno de entusiasmo y consulto al famoso profesor Jiménez, ¿que me aconseja?—que lea los cuarenta y dos tomos de estos *Monumentos*. Realmente no son los monumentos que pensaba descubrir. Pero al menos puedo decir, sin jactarme demasiado, que ya sé traducir bastante bien los jeroglíficos de los antiguos habitantes del valle de México.»

Mientras Roberto hablaba para sí mismo en estos términos, entró en la biblioteca un hombre bajo y grueso. Era completamente calvo y tenía la nariz algo roja y los ojos muy azules. En su mejilla izquierda se veía una cicatriz.

«Um,» se dijo Roberto. «Este tío debe ser alemán. ¿Qué hará por aquí? Si mal no me acuerdo es el tercer día que entra en esta biblioteca y nunca se queda más de diez minutos. Siempre llega a eso de las cinco de la tarde. Parece que le incomoda un poco mi mirada.»

Con esto Roberto volvió la vista al libro y comenzó a apuntar algunas notas en su cuaderno. Pero no dejaba de echar una mirada

5

10

15

20

25

1

de soslayo al inquietante alemán de vez en cuando. Éste sacó de los estantes un volumen del gran *Diccionario de jeroglíficos y antigua lengua de los aztecas* hojeándolo durante unos momentos sin parecer comprenderlo. La próxima vez que Roberto echó una mirada, el 5 libro ya no estaba sobre la mesa. El señor se había levantado, y sin volver a los estantes, salía apresuradamente de la sala.

«¿Qué pasa aquí?» se preguntó Roberto. Fuése en seguida a los estantes y notó que faltaban los tres grandes tomos del *Diccionario.* «Yo no sé lo que ocurre, pero sin embargo algo me dice que debo 10 seguir a ese sujeto. Por cierto que si ésta no es una investigación de las que vine a hacer aquí, al menos tiene un interés más actual que los restos de una civilización desaparecida hace ya cuatro siglos.» Y el joven, después de echar su cuaderno y su lápiz en la cartera, salió corriendo en busca del alemán desconocido.

15   Ya en la calle, Roberto miró inútilmente por todos lados. La acera estaba atestada de gente, pero ni a la izquierda ni a la derecha podía verse el supuesto ladrón. Pasaban tranvías y taxis. «El pájaro parece habérseme escapado,» se dijo Roberto. «Mi estreno como detective ha resultado un fracaso completo. ¡Bien merecido 20 lo tengo! Porque al fin y al cabo un arqueólogo debe quedarse entre sus libros polvorientos sin tratar de mezclarse en las cosas del día. Pero, ¿por qué querrá ese hombre robar un libro que no tiene valor sino para los eruditos? Es alemán, sin duda universitario, y debe conocer el valor del libro; pero aun vendiéndolo a 25 buen precio, no puede ganarse así la vida. ¿Para qué lo quiere? Aquí hay gato encerrado.»

Meneando tristemente la cabeza, Roberto volvía hacia la puerta de la Academia Nacional de la Historia, pensando entrar otra vez, cuando le llamó la atención un lujoso automóvil rojo que pasaba 30 rápidamente por la calle.

«¿Qué marca de automóvil será ése?» se preguntó. «No es, desde luego, norteamericana.»

Un joven que vendía *El Imparcial* también daba claras señas de interesarse por el coche.

35   —¿Sabes tú qué clase de coche es ése? —le preguntó Roberto.

—¿Cómo no, patrón? Yo soy especialista en automóviles. Es

un Mercedes-Benz, marca alemana. Hay muy pocos en México. Pero ya he visto aquél en esta calle más de una vez.

— Gracias, hijo. Dame un periódico —le dijo Roberto, aña-diendo después para sí mismo: «Qué tonto soy. Realmente no debo meterme en cosas que no me importan. Sigo a un alemán, 5 pasa un coche alemán y no veo a los ocupantes. Como detective no valgo absolutamente nada. Pues lo mejor es olvidarlo, y . . .»

. . . le llamó la atención un lujoso automóvil rojo . . .

Con esto, al notar que en el gran reloj sobre la puerta de entrada de la biblioteca, las agujas marcaban las cinco y diez, Roberto se dijo: «A ver, ya se hace tarde y si voy a acudir a mi cita con Toto 10 no tengo tiempo que perder.»

Tomó por la calle de Isabel la Católica. Aunque tenía prisa no dejó de observar la gente que animaba la calle, deteniéndose de vez en cuando delante de los escaparates de las tiendas. Pensaba establecerse en un departamento, ya que iba a quedarse al menos 15 dos años en México. Por ello se paraba especialmente delante de los almacenes de muebles. Más tarde llegó a la parte de la calle

en donde se encuentran muchos bancos, viéndose perseguido por
varios agentes de casas de cambio y corredores de la bolsa negra.
Cada cual trataba de ofrecerle un cambio más interesante que el
otro.

5   Al entrar en la calle de Gante, observó con sorpresa que eran ya
más de las seis. «¿Qué va a decirme Toto?» se dijo. «Él que es
siempre tan puntual como buen norteamericano, y yo que siempre
llego tarde como buen mexicano. Lo habrá aprendido durante su
estancia en Cambridge cuando estuvo allí de estudiante.»

10   Diciendo esto, Roberto se dirigió a la puerta de La Cucaracha,
café-bar, donde se había citado con su amigo. Tal como había
pronosticado, su antiguo compañero de universidad se le había
adelantado y ya estaba instalado en una mesa cerca de la puerta.
Se dieron un apretón de manos y en seguida entablaron una con-
15 versación sobre el restaurante en que iban a comer y sobre la película que iban a ver aquella noche. Luego hablaron de su trabajo,
Roberto de lo aburrido que estaba con la labor interminable de los
jeroglíficos y Toto de su puesto de cajero en el banco.

— Antes me hubiera parecido imposible cansarme de tener que
20 contar dinero —dijo éste— pero ahora sé que no es lo mismo contar
el dinero ajeno que el propio. Al menos me cuesta poquísimo
trabajo contar mi sueldo. Lo hago con los dedos.

—¿Cómo dices eso, hombre? Ya sabes que dentro de un par de
años llegarás a ser un personaje en el mundo bancario y quizás
25 también en el político. Hay muy pocos que tienen tus títulos
universitarios, por no decir nada de las buenas aldabas que tienes.
Basta mencionar sólo a tu tío el gobernador del estado de T...,
dueño de tantas propiedades y quien tanta influencia tiene...

—Eso te lo crees tú —dijo Toto—. Yo no soy como los otros.
30 Quiero ganarme el pan que como. Naturalmente no puedo dejar
de ser el sobrino de mi tío Eusebio, pero sin embargo... Chico,
¡qué hombre más raro! Ése que se halla al otro lado. Juraría que
es alemán.

Roberto volvió la cabeza, siguiendo la mirada de su amigo, y vió
35 un grupo de tres hombres, el primero de los cuales era ciertamente
mexicano, aunque no de las clases elevadas. El segundo era alto y

—*Vienen hacia acá —le advirtió Toto a media voz.*

cadavérico; sus cabellos rubios y sus ojos azules daban fundamento
a la suposición de Toto. El tercero, bajo y grueso, completamente
calvo, era el de antes—el mismo que había hurtado el libro de la
Academia Nacional de la Historia. Al verle, Roberto dió un salto.
5 El ratero fijó la vista en él, pero ni se alteró su color ni dió muestras
de reconocerle.

—¿Qué tienes? —le preguntó Toto—. Roberto, ¿por qué le
miras tan sorprendido?

—Pues, amigo —respondió Roberto— ¡qué caso más extraño!
10 Hace poco tiempo vi a ese hombre—el pequeño—en la biblioteca,
y aún cuando no has de creerlo, estoy seguro de que robó un tomo
del *Diccionario de jeroglíficos*. También sospecho que ha robado
anteriormente los otros dos tomos que faltan. ¿Puedes imaginarte
que un hombre que no carece de distinción sea capaz de hacer
15 semejante cosa?

—Vienen hacia acá —le advirtió Toto a media voz. En esto
los tres hombres ganaron la puerta y sin hacer caso de nuestros
amigos salieron del café. Roberto volvió a su cuento del diccionario robado.

20   —Ese hombre entró en la biblioteca, sacó el tomo del diccionario
y diez minutos después desapareció . . . Pero, ¿ves aquel coche?

Mirando a través de la ventana Toto vió pasar un gran automóvil rojo que ocupaban los dos alemanes y el mexicano.

—Ese coche . . . me parece . . . sí, es cierto . . . ese coche es el
25 mismo que vi unos minutos después del hurto y sin duda en él se
me escapó el ladrón.

—Pero, ¿qué dices, chico? —le preguntó Toto, algo perplejo—.
No me has dicho que le hayas perseguido. No me lo explico.

En pocas palabras Roberto le puso al tanto de su tentativa como
30 detective y de su conversación con el vendedor de periódicos.

—Ahora me toca a mí sorprenderte —dijo Toto—. No vas a
creerlo, pero también yo, como el chico del *Imparcial*, he visto ese
coche.

2   Sueños dorados

—¿Qué me cuentas? —exclamó Roberto—. ¿Tú también has visto ese automóvil cerca de la biblioteca?

—No digo cerca de la biblioteca. Solamente digo que lo he visto.

—Pero, ¿dónde?, por Dios.

—Sabes que mi tío Eusebio, el gobernador, tiene varias hacien- 5 das. La que mejor conozco es la que se halla cerca del pueblo de Tenoztiplán, donde pasé buena parte de mi juventud después de la muerte de mi madre. Todavía voy allá con bastante frecuencia para pasar unos días de vacación. Como el pueblo dista solamente cuatro horas de aquí en autobús, suelo pasar un *week-end* allí cada 10 dos o tres semanas. La última vez que estuve en la hacienda, o sea el domingo pasado, ese automóvil estaba en el garage del pueblo. Me fijé en él no solamente porque es bastante vistoso, sino también porque se ven muy pocos coches en la carretera del pueblo. Poca gente se atreve a arriesgarse en ella. No sé cuántos muelles se 15 rompen cada año en ese camino. El negocio principal del garage local es reemplazar los muelles rotos.

—¿Por qué no hacen un buen camino? —preguntó Roberto—. Los turistas irían en gran número a ver el pueblo. Sería un buen negocio. 20

—Mi tío Eusebio no quiere que pavimenten la carretera porque no quiere echar a perder el ambiente pintoresco e idílico del pueblo. Prefiere que los campesinos sigan siendo sus protegidos . . . que no sepan nada del mundo de afuera . . . y que voten por él . . . ¡si es que votan! . . . y que los turistas norteamericanos no les den dema- 25 siado dinero junto con nociones irrespetuosas de igualdad. Es lo que dice él; por nuestra parte los jóvenes sabemos que el cambio es la esencia de la vida y que los pueblos mexicanos deben evolucionar también.

Pero aunque soy muy moderno, confieso que estoy de acuerdo 30 con mi tío hasta cierto punto. Me da una lástima profunda el pensar que Tenoztiplán pudiera dejar de ser precisamente lo que es: una tierra privilegiada donde el tiempo no pasa, donde se vive hoy

como se vivía hace dos siglos, y donde el sistema de gobierno autocrático y atrasado, si no concede la libertad personal, en la mayoría
de los casos proporciona la felicidad. Hay que admitir que el tío
Eusebio es un déspota, pero un déspota benévolo. Si todos los
5 terratenientes de México se interesaran tanto como él por los
pobres, no tendríamos nosotros los jóvenes tantos deseos de cambiar
el viejo sistema. Desgraciadamente, como en todos los países, son
los buenos gobernantes lo que más escasea. Yo le digo a mi tío
que él representa el máximum que puede hacer un sistema malo
10 dirigido por un hombre bueno.

—¿Y qué dice él?

—Que si me hubiera quedado a su lado en lugar de ir a tu país a
llenarme de «ideas anárquicas»—son sus palabras—yo podría re-
emplazarle más tarde y ser lo que ha sido él, el padre temporal de
15 todo un estado.

—Y ¿no te gustaría?

—Me gustaría mandar, pero de acuerdo con la voluntad popular
. . . haciendo los cambios inevitables y necesarios pero conservando
lo que tenemos de realmente bueno y que nosotros los jóvenes
20 echamos en olvido con demasiada frecuencia . . . ¡Pero, amigo
mío! ¡Éstos son sueños dorados! ¿Cómo hemos llegado a hablar
de estas cosas?

—Me decías que habías visto el coche alemán en Tenoztiplán
y que te sorprendió verlo allí.

25 —Sí, es verdad. Además me sorprendió porque una vez allí, el
coche ya no es utilizable puesto que no hay otra carretera transitable por automóviles sino la que he mencionado. Hay que valerse
de caballos para salir en cualquiera otra dirección. Naturalmente
supuse que era el coche de algún arqueólogo que había venido a
30 ver los túmulos de la Fuente de las Calaveras. Los túmulos son
montones de ruinas cubiertas de tierra y vegetación.

—¿No han sido nunca explorados? —preguntó Roberto con vivo
interés.

—¿Por qué no vamos al restaurante? Mientras comamos te diré
35 algo del asunto. Ya comienzo a tener hambre y creo que no nos
hace falta otro aperitivo —propuso Toto.

—Vamos allá.

Pagaron las bebidas, se levantaron, y muy pronto se hallaban instalados en el restaurante con un buen biftec por delante.

—¿Quieres saber algo de las ruinas, eh? —continuó 'Toto—. Pues verás: nunca se ha hecho una investigación en regla. Sin embargo, se hallan allá muchos pedazos de cerámica y figuritas de barro. Tú que eres arqueólogo debes saber que hay muchos sitios así en nuestro país. Falta dinero, los lugares son inaccesibles, y los únicos que los exploran son los buscadores de tesoros, ya que nunca faltan tradiciones de tesoros sepultados. En efecto, los indios de la hacienda de mi tío nunca se cansaban de contarme historias maravillosas cuando yo vivía allí. Tienen cierta veneración por los túmulos, los cuales deben de haber sido templos o cementerios de sus antepasados. Te digo eso del cementerio porque antiguamente se hallaron huesos humanos en la gran fuente o río subterráneo que brota de la tierra junto a los túmulos. De ahí el nombre que tiene el lugar.

—¡Ojalá pudiese yo investigar tales ruinas! —dijo Roberto, todo su ardor de hombre científico y de joven romántico estimulado por la ilusión de hacer un descubrimiento de importancia—. Precisamente soñaba con eso al venir a México, pero desgraciadamente ... Supongo que ello ha de costar mucho y no tengo más que lo necesario para mis estudios aquí.

—Pero todavía queda el rabo por desollar. Aunque tuvieses el dinero para emprender las exploraciones, no serías el primero. Un compatriota tuyo, un profesor jubilado, vive en Tenoztiplán desde hace seis años. Es muy aficionado a la arqueología y pasa casi todo su tiempo cavando e investigando los montones de ruinas.

—¿Cómo se llama? Si es arqueólogo quizás le conozca, al menos de nombre. Podría pedirle que me diese un puesto entre sus ayudantes.

—Poquito a poco. El señor Fisher trabaja casi completamente solo. Es decir que el único ayudante que tiene es un indio, su jardinero. Además no era profesor de arqueología, sino de latín, mas a los cincuenta años dejó los libros y vino aquí, como dice él, a pasarlo bien durante lo que le quede de vida. Primero se esta-

bleció en la capital donde estudiaba arqueología para pasar el tiempo. Yo le conocí en casa del profesor Jiménez. Me dijo que quería conocer el verdadero México, el de los pueblos pequeños, donde todavía florece la cultura india, y que pensaba comprar una
5 casa en alguno de ellos. Le hablé del encanto de Tenoztiplán, fué allá de visita, se enamoró del lugar, compró una casita, y allí vive desde entonces.

—¿Vive solo?

—Ah, no. Se me olvidó decirte que su sobrina Bárbara, bastante
10 guapa por más señas, vive con él. Es decir, ella antes pasaba solamente los veranos aquí y los inviernos en la universidad en los Estados Unidos. Ahora que ha terminado sus estudios, no vuelve a salir del pueblo.

—Ajá, me doy cuenta por qué haces excursiones tan frecuentes
15 allí. No será todo por amor al pueblo. ¡Ya comprendo qué clase de encanto tiene Tenoztiplán!

—Basta, basta, socarrón. No niego que haya cierto interés—al menos de mi parte, ya que todavía no sé si existe alguno por parte de ella.

20   —En ese caso me despido de la posibilidad de ver tu pueblecito encantador y también de investigar las ruinas de la Fuente de las Calaveras. No te echo la culpa. Es natural que no quieras la competencia de un don Juan Tenorio como yo.

—Bah, no me hagas reír. ¡Cuántas veces hemos salido juntos
25 en Cambridge, y tú ni te atrevías a decir esta boca es mía al hablar con una muchacha! No creo que hayas cambiado tan radicalmente. Y para mostrarte que no te temo y que me he ganado un lugarcito en el corazón de Bárbara, te invito ahora mismo a hacer una excursión a Tenoztiplán. Voy allá del próximo domingo en ocho días
30 ya que me corresponden quince días de vacaciones, y tú vas a acompañarme.

—¡Hombre! Y ¿podré ver las ruinas de la Fuente de las Calaveras?

—Ya ves donde está tu corazón. ¿No te lo dije? Te enamoras
35 de las ruinas, y cuanto más viejas mejor. Pero te aseguro que si haces buenas migas con el profesor Fisher te invitará a pasar todos

los días con él a fin de cavar y hablar de antigüedades. Pero yo también quiero una porción de tu tiempo ya que tengo proyectadas varias cosas que sé que te gustarán. Y ahora, ¿vamos al cine?

—Lo que tú quieras, amigo. Ante una perspectiva tan sonriente lo haría todo de buena gana, hasta jugar al bridge.   5

Aunque vieron una buena película, Roberto no consiguió fijarse en ella. Su mente estaba llena del sueño dorado de una investigación arqueológica. Al volver a su pensión no pudo dormir tampoco. Cuando por fin logró conciliar el sueño, soñó con el dios Quetzalcoatl y sus serpientes emplumadas.   10

3   Cambiamos de escena

Aunque los días parezcan interminables al que se dedica tan sólo al trabajo, nunca duran más de veinticuatro horas. Roberto bostezaba más de lo usual sobre sus jeroglíficos durante toda aquella semana. Su impaciencia no tenía límites. Cada noche registraba cuidadosamente los aparatos arqueológicos que pensaba llevar con- 15 sigo. Repasaba los libros que describían las excavaciones más cercanas a Tenoztiplán para enterarse de lo que podría esperar encontrar allí. Por casualidad vió al profesor Jiménez, quien le aseguró que el lugar era de suma importancia científica, lamentándose de que el gran número de sus propias ocupaciones le hubiese 20 impedido dedicarse a su exploración.

Una noche Toto vino a comer con Roberto en su pensión. Ambos querían arreglar los últimos detalles de su viaje. Para no aburrir mucho a los otros huéspedes, dijeron poco acerca del asunto en la mesa, pero luego se retiraron al cuarto de Roberto donde comen- 25 zaron a hablar por los codos.

—No tienes que llevar mucha ropa —le explicó Toto a su amigo—. En la hacienda tengo cuanto es necesario de manera que podré prestarte lo que te haga falta. Allá siempre llevamos el traje de vaquero. Es mucho más cómodo y práctico que el traje de 30 montar de los extranjeros. ¿Montas bien?

—Algo, pero no muy bien. Pasé un verano en Wyoming y allí

aprendí a montar un poquito. Pero ¿crees que tu traje de vaquero me caiga bien?

—¿Por qué no? Somos más o menos del mismo tamaño. Verdad que tendrás que tostarte al sol y quitarte esos lentes pesados . . .
5 Además tendrás que llevar revólver.

—¿Yo, revólver? De ninguna manera, amigo. Soy hombre de paz.

—No lo pongo en duda. Sólo digo que allá hay que estar prevenido contra todo—por ejemplo contra las culebras de cascabeles.
10 Yo también siempre llevo alforjas en las cuales tengo todo lo necesario para pasar una noche al fresco—alimentos en conserva, linterna eléctrica, etcétera. En efecto, uno de los placeres más grandes de la vida del hacendado es el de pasar una noche bajo las estrellas de vez en cuando. Me gusta acampar junto a un arroyo,
15 sin saber precisamente dónde estoy ni cómo voy a volver a casa, sin más compañero que mi caballo . . .

—Bueno. No quiero estorbar . . .

—¡Roberto! No digas tonterías. Naturalmente que vas a acompañarme en mis correrías . . . si no te asustas de dormir en
20 tierra.

—Al contrario. Me gustaba mucho el hacer correrías por el estilo en Wyoming. Pero, dime, ¿cómo es tu tierra de Tenoztiplán?

—Bastante parecida al estado de Wyoming que acabas de mencionar. En muchos lugares cerca de Tenoztiplán jurarías encon-
25 trarte allá. Las mismas llanuras secas con poca vegetación, idénticas montañas cubiertas de pinos hasta cierta altura, y luego coronadas de rocas desnudas o de nieve. Aire muy puro y seco. Esto en cuanto al paisaje. Naturalmente que los pueblos y los habitantes no se parecen mucho, por más que la vida del hacendado
30 tiene mucho en común a ambos lados de la frontera.

—Pues ¡vámonos, hombre! No quiero aguardar más.

—Desgraciadamente no podrá ser hasta el domingo. Sabes que el autobús sale a las diez y cuarto de la Plaza de los Mártires. Te encontraré allí a las diez en punto.

35 Así estuvieron hablando los jóvenes hasta hora bien avanzada de la noche. Nada dijeron del alemán sospechoso ni tampoco del

coche rojo de marca alemana. Todo esto se les había escapado de
la mente dando sólo cabida a perspectivas halagadoras de correrías
a caballo, de pesca de truchas en los torrentes montañosos o de
investigaciones interesantísimas de antiguas ruinas indias.

Se cae de su peso que ambos llegaron con anticipación a la Plaza 5
de los Mártires. A la hora debida el autobús arrancó, no sin los
inevitables soldados montados sobre el parachoques de atrás, donde
se mantenían agarrados a la barandilla del techo que sirve para
sujetar los equipajes.

Camino del mercado.

—No sé por qué —advirtió Toto a Roberto— pero siempre hay 10
dos o tres soldados que no caben en el interior y tienen que viajar
agarrados así. Supongo que les gustará. Ha de darles la sensación
de estar domando este caballo de acero.

El coche seguía la carretera de Toluca, ganando siempre altura
y trabajando penosamente en las cuestas. De vez en cuando se 15
detenía en un pueblecito. Algunos pasajeros bajaban al paso que
otros subían a tomar los puestos vacíos. Todos, con excepción de
nuestros jóvenes, eran indios. Volvían de los distintos mercados y
muchos regresaban con bultos grandes de cosas que no habían
podido vender. Pero a ellos parecía no importarles el fracaso. Se 20

habían divertido en el mercado y, puesto que no vendieron todos sus productos, ya podrían volver a divertirse otro día. Los que entraban saludaban gravemente a los del interior y no se quejaban por más que muchos tuvieron que quedar de pie. Hablaban y
5 sonreían poco, mostrando la dignidad innata de las razas indígenas americanas.

Al fin el autobús llegó a la cumbre de una sierra de montañas, pasando por un desfiladero que daba acceso al otro lado de los montes. Entonces se les descubrió un panorama magnífico. A
10 través de los pinos del bosque se veía un valle majestuoso, cuyo fondo estaba tan lejano que casi daba miedo mirarlo.

—¡Qué vista más maravillosa!—exclamó Roberto—. ¡Qué cuestas! Confío en que nuestro chófer guíe bien.

—Si no, llegamos en un soplo como los pájaros. ¡Mira! Cuando
15 damos la vuelta aquí podrás ver el pueblo. ¿Lo ves?

Al fondo del valle había una mancha blanca circundada de verde. Mirándola bien Roberto distinguió los edificios de un pueblo rodeado de campos cultivados. Una cinta verde representaba el curso del río que regaba una parte de la llanura. Lo demás tenía
20 el color propio de la tierra desnuda y quemada por el sol.

El entusiasmo de Roberto se comunicó a Toto, quien iba señalando y nombrando a su compañero los puntos de interés—ya los picos más altos de la sierra, ya las haciendas principales del valle, ya los pueblecitos y caseríos apartados.

25   —¿Y la hacienda de tu tío?—preguntó Roberto—. ¿Por qué no la vemos?

—Porque está a este lado del valle donde los árboles nos cortan la vista. Pero pronto la verás. No está lejos de la carretera.

Mientras los jóvenes discutían así, el coche seguía bajando, dando
30 innumerables vueltas, hasta llegar al pie de la cuesta, donde cesaban los pinos para dar lugar a la hierba escasa y los cactus de la llanura.

—Párese, por favor —gritó Toto al chófer.

Éste detuvo el autobús en un lugar donde no se veía vivienda
35 alguna. Sólo había un caminito que, separándose de la carretera, seguía a lo largo del río.

—Ahora ¡paciencia y caminar! —dijo Toto con una sonrisa—. ¡Gracias a Dios que no tenemos mucho equipaje!

Habían andado unos diez minutos cuando, al salir de una arboleda, divisó Roberto un edificio grande y bajo, hecho de piedra amarilla, el cual daba más bien la impresión de un convento que 5 de una hacienda. Estaba colocado entre el bosque de pinos que cubría las últimas colinas de la sierra y una de las vueltas del río.

*. . . daba más bien la impresión de un convento
que de una hacienda.*

Aunque era un solo edificio, se adivinaba que debía haber todo un pueblecito bajo su techo. Cabían allí la casa del dueño, las viviendas de los humildes trabajadores, las cuadras y los establos, y 10 hasta una capilla que mostraba su cruz y juego de campanas en lo alto.

Para completar la pintoresca escena, había sobre el río un viejo puente de piedra que parecía construcción de los conquistadores españoles. 15

—¡Aquí es! —confirmó Toto, mirando con fijeza la cara de Roberto, deleitándose con las muestras de aprobación que halló dibujadas en ella—. ¿Te gusta la casa de mi tío?

—¡Mucho! ¡Qué pintoresca! ¡Y qué lugar tan magnífico! No sé cómo puedes dejar todo esto nunca —exclamó Roberto—. Pero 20 ¡qué viejo es el edificio! Parece un antiguo monasterio.

—Has acertado. Era un convento de frailes franciscanos quienes

se establecieron aquí para enseñar los rudimentos de la agricultura
y de la fe cristiana a los indios. Sólo que la gran iglesia primitiva ya
no existe; fué destruida en la revolución de 1820, siendo luego sus-
tituida por la capilla que ves . . . Pero no es ésta la hora para darte
5 un curso de historia local sino la de comer. ¿Sabes qué hora es?
—Toto dirigió una rápida ojeada a su reloj-pulsera—. Las tres y
pico. Si no nos damos prisa supondrán que no vamos a comer.
Con esto los dos jóvenes se apresuraron a llegar cuanto antes.

4   Una visita inquietante

Dos días más tarde un sol magnífico inundaba de luz la plaza de
10 Tenoztiplán. Bajo los grandes árboles los campesinos exponían los
frutos de su trabajo y los vendedores ambulantes ofrecían telas,
cuchillos, y la mar de otras cosas a los sencillos y deslumbrados
habitantes de la región.

Roberto y Toto, vestidos de vaquero y montados a caballo,
15 llegaban al pueblo de la hacienda de don Eusebio, el gobernador,
después de haber hecho media hora de camino. Pasaban con dificultad entre los puestos del mercado, por delante del garage y de
la iglesia, los únicos edificios grandes que daban a la plaza, tomando
luego por una callejuela que pronto dejaba de ser calle de pueblo
20 para convertirse en camino rural. No lejos del pueblo se detuvieron
frente a un muro alto en el cual se abría una puerta grande. Por la
reja de la puerta se divisaba la vista tentadora de una casita rodeada
de un bonito jardín.

—Es aquí, no más —dijo Toto, mientras un rubor subía lenta-
25 mente por sus mejillas hasta llegarle a la frente.

—Hombre, no tienes que decírmelo —respondió Roberto—. No
tengo que hacer más que mirarte la cara. Además, ya me figuro
qué clase de princesita es la que debe habitar este jardín encantado.
Todo como un cuento de hadas. Ella, la bella durmiente; tú, el
30 príncipe hermoso . . .

—No chancees, imbécil, que esto es algo serio. Y además, mira
y te darás cuenta de que vive aquí gente de carne y hueso.

Pasaban con dificultad entre los puestos del mercado ...

Con eso, Roberto echó una ojeada a través de la reja de la
puerta, viendo acercarse a un viejo indio, con la cara muy arru-
gada, pero todavía bastante fuerte.

—¿Éste ha de ser el jardinero de quien me hablaste—el que
5 ayuda al profesor Fisher en sus excavaciones?

—Sí, es Lupe, el mismito —y Toto saludó afectuosamente al
viejo indio que debió de haber conocido desde su niñez. Cumplidas
las formalidades de presentación, Toto preguntó: —¿Y cómo están
los amos? —no sin volver a ruborizarse.

10 Lupe respondió bondadosamente: —La señorita Bárbara está
muy bien.

—¿Y el profesor?

Una mirada de extrañeza y asombro se pintó en la cara del buen
viejo.

15   —¿Qué me dice el señorito? ¿No ha visto al amo?

—Pues, ¿qué me dices tú? ¿Cómo había yo de ver al Sr. Fisher,
estando él aquí y yo allá en la capital?

—¿Pero no lo sabe el señorito? El amo no está aquí. Se fué para
México inmediatamente después de nuestro descubrimiento.

20   —¿Qué descubrimiento, ni qué caracoles? Habla claro, hombre,
poniendo los puntos sobre las íes. Comienza por el principio y
cuéntamelo todo.

—Entonces ¿el señorito no ha visto al amo en México? —volvió
a preguntar el fiel servidor, mientras su mirada pasaba del asombro
25 a la preocupación—. Pues, yo no sé lo que sucede—y perdone el
señorito—pero en todo caso me parece que no pasa nada bueno.
El amo salió de aquí . . . era un miércoles . . . diciendo que volvería
pronto, posiblemente el sábado. Ya hace casi quince días que está
ausente y todavía no hemos recibido noticias de él. Además, eso
30 de ir a México y no verle a Vd. me parece incomprensible. El
señorito sabe que siempre que el amo va a México nunca deja de
visitarle a Vd. Y me consta que la señorita Bárbara le envió un
recadito con su tío . . . No puedo explicármelo.

Lupe meneaba tristemente la cabeza, revelando una ansiedad
35 grande motivada por el cariño que sentía por su amo.

—Pero, ¿qué más, hombre? ¿Qué es eso del descubrimiento?

—Ay, perdone el señorito. Se me olvidó decirle la razón por la cual se fué el amo. Mientras estábamos allí, cava que te cava, encontramos las piedras de una pared. Nos pusimos a desenterrarla, y por fin llegamos a una puerta. Entramos por ella, debajo del túmulo. Hallamos una serie magnífica de jeroglíficos y pasamos 5 varios días tratando de descifrarlos. Había algunos que no entendíamos, y por ello mismo mi amo pensó que habíamos hecho un descubrimiento valioso—y por ello también se fué a México a ver el diccionario que según él dice encierra todos los jeroglíficos habidos y por haber. 10

—¿Un diccionario de jeroglíficos, dice Vd.? —exclamó Roberto, asombrado a su vez—. ¿Sabe a qué biblioteca se dirigió?

—A esa que llaman Academia Nacional de la Historia, creo que dijo —respondió Lupe.

—Pues eso sí que me extraña. Yo que he trabajado allí todos 15 los días muy juntito al diccionario, no he notado que nadie se acercara al libro—es decir, con una excepción, por cierto excepción muy importante. Tres veces reparé en un pequeño alemán, y cada vez que estuvo, faltó uno de los tomos del diccionario.

—Pero, chico —interrumpió Toto— puede ser que precisamente 20 porque faltaban los libros de los estantes de tu biblioteca no hayas visto al profesor allí. Yo me lo explico así. El profesor ha debido ir muy de mañana—sabes que es buen madrugador y tú, no me vas a negar que se te pegan las sábanas—y no hallando los libros en su lugar, ha debido dirigirse a la Biblioteca Nacional o a otra parte, 25 sin más ni más. Tú, porque te has metido a detective y por haber sido testigo de un hurto de menor cuantía lo ves todo de un modo fantástico. Pero vamos, Lupe, ¿dónde está la señorita Bárbara?

—Ella está un poquito nerviosa y ha ido al centro, a la casa de correos, a ver si por fin llega una carta de su tío. Pronto ha de 30 estar de vuelta.

—A ver si la encuentro —dijo Toto, dirigiéndose a la puerta—. Vosotros, los arqueólogos, podéis quedaros aquí charlando de vuestras cosas mientras yo me ocupo de los seres vivientes —y por tercera vez se le encendió la cara. 35

Pero antes de atravesar el portón se dió de cara con la persona

que iba a buscar. No en vano la había comparado Roberto con la
princesita habitante de un jardín encantado. Una melena rizada,
ojos azules y pícaros, un talle de diosa joven; fueron éstos los atri-
butos más sobresalientes que pudo notar el tímido Roberto mien-
5 tras su amigo le presentaba a ella.

—Mucho gusto, señorita —tartamudeó el que se jactaba de ser
un Tenorio, lo que no impedía que pasase siempre las de Caín en
presencia de una mujer.

—Ah, Vd. es el amigo de Toto, el arqueólogo de quien él nos ha
10 escrito. Me ha dicho Toto que Vd. tiene un talento... que va a
llegar a ser muy famoso uno de estos días... compatriota mío por
más señas... y antiguo compañero de Toto además. Ve Vd. cómo
sé su vida y milagros y que Toto es un buen corresponsal. Pero,
hablando de cartas, por fin tengo aquí una de mi tío.

15 Mostró alegremente una carta abierta que traía entre las manos.
Todos exhalaron un suspiro, inclusive el bueno de Lupe, quien se
mantenía a una distancia respetuosa.

—Y ¿cómo está el profesor? —preguntó Toto, no sin cierto recelo—. ¿Está bien?

20 —Sí, está muy ocupado y se excusa de no haberle vuelto a ver a
Vd. por el mucho trabajo que ha tenido.

—¿De no haber vuelto a verme, dice Vd.? —repitió Toto.

—Sí, tonto. Dice textualmente: «Pasé una tarde muy agradable
con Toto dos días después de mi llegada. Te envía muchos re-
25 cuerdos. Desde entonces no he vuelto a verle porque el trabajo
me tiene pegado a los libros y no tengo ni una hora libre siquiera.
Ahora parece que estaré ausente unas dos semanas más, pero no te
preocupes. Pronto volveré a mis ocupaciones habituales.» Eso en
cuanto a Vd. También envía muchos recuerdos a Lupe y... Pero,
30 ¿qué hacemos aquí como bobos? Pasen Vds. a la casa que yo les
haré una limonada, porque ya va haciendo calor. Más tarde mos-
traremos las flores de nuestro jardín al Sr. Blakesly.

—Celebraría mucho que Vd. me llamase Roberto —se atrevió a
decir su compatriota.

35 Cuando Bárbara se fué a la cocina a preparar la bebida, Toto
llamó a Lupe, y los tres hombres se quedaron de pie cuchicheando.

Tenían las caras muy serias y se veía que estaban preocupados. Pero cuando Bárbara volvió a entrar se separaron sonrientes y charlando como si no hubiera pasado nada.

Una hora después Toto y Roberto volvían a cabalgar por la plaza de Tenoztiplán, y esta vez, al pasar por delante del garage, vieron 5 adentro algo en que no habían reparado antes, si es que estaba allí entonces. Dentro del garage había un gran coche rojo, de marca alemana.

5   Razonamientos de un detective

Momentos después Toto y Roberto, desmontados ya, estaban dentro del garage, encarándose con el dueño. 10

—Qué hermoso coche —comenzó Toto—. ¿Está de venta?

—Oh, no, señorito —respondió el dueño—. Es un coche particular que dejan aquí, nada más.

—¿De quién es?

—Y eso, señor, ¿qué sé yo? De unos señores de la capital que 15 vienen aquí a pescar o a cazar. Eso no tiene nada de particular. Muchos señores vienen al pueblo con esos fines. Yo sólo sé que salen de aquí a caballo y con escopetas.

—Muy interesante —murmuró Toto—. Vd. no sabe nada. ¿Y no llevan esos señores un guía? 20

—Por supuesto. Precisamente les sirve de guía un hermano mío, Manuel. ¿No le recuerda el señorito? El que se fué a México a trabajar hace varios años.

—Sí, cómo no. Naturalmente que me acuerdo —dijo Toto. Y los jóvenes se alejaron, dejando creer al dueño del garage que los 25 había despistado.

Después de montar otra vez a caballo, Toto no vaciló un instante. No se dirigió hacia la hacienda de su tío sino que tomó por otra calle, despertando de esta manera la curiosidad de Roberto.

—¿A dónde vamos, hombre? ¿No volvemos a casa? —le pre- 30 guntó.

—Pues, no, señor. Ahora ha llegado el momento crítico y tenemos que actuar —le respondió su amigo—. Vamos a considerar

el caso a ver lo que podemos deducir. Primero, el profesor Fisher se
fué a México, contando volver dentro de tres días, y no ha vuelto.
—No vayas tan aprisa, hombre. ¿No sabes que lo primero fué
la aparición en la biblioteca del alemán bajo y regordete?
5   —Hasta cierto punto tienes razón, pero te equivocas cronológicamente. El profesor ha ido a la capital antes, y solamente tres
días más tarde, notas al pájaro de mal agüero; es decir, que el
primer tomo del diccionario de jeroglíficos probablemente ha
debido desaparecer el mismo día en que el profesor llegó a México.
10 Solamente que él habrá llegado por la mañana, mientras que el
diccionario desapareció a eso de las cinco de la tarde.
—¿Y tú crees que dos hechos tan distintos pueden tener realmente algo en común?
—A eso voy. Y no me desbarajustes el pensamiento. ¿No sabes
15 que los detectives tenemos que pensar por orden lógico? Ya tenemos los números primero y segundo, y con esto llegamos al punto
tercero. El coche que hemos visto en México y aquí en Tenoztiplán
se relaciona también con lo de los libros. Y aquí tenemos otra
prueba, puesto que el dueño del garage acaba de decirme que su
20 hermano sirve de guía a los alemanes, y ahora empiezo a acordarme
del mexicano que les acompañaba cuando los vimos en el café.
Entonces no le reconocí, porque hace muchos años que dejó el
pueblo, y de muchacho que era se ha hecho hombre. Pero era él;
no hay duda. Y con esto llegamos al último punto de nuestra conca-
25 tenación de ideas—la carta. Una carta que no escribió el profesor
de su propia voluntad—eso sí lo sabemos—puesto que habla de ha-
berme visto, y sabemos perfectamente que no ocurrió tal cosa. Es
decir, o el profesor se ha vuelto loco o alguien le dictó lo esencial de
la carta.
30   —Pero, chico, ¿por qué habían de hacerle escribir una carta?
¿Y además, si le dictaron la carta, cómo habían ellos de saber que
iba a verte a ti en la capital?
—Lo que querían ellos era que escribiera a su sobrina para que
ella no se preocupase de una ausencia que se prolongaba más de lo
35 que era de esperar. Para sus fines lo que les importaba era que ella
no se apurase con objeto de que no dijese a la policía que su tío

estaba perdido. Ellos contaban con terminar su negocio dentro de dos semanas. Por lo visto era un negocio en que necesitaban de la ayuda del profesor Fisher. El resto de la carta les tenía sin cuidado. Solamente querían que dijese cosas naturales que no levantasen sospecha alguna en el alma de Bárbara. Le permitieron decir lo que 5 quisiese; es decir, cualquier cosa innocua que pareciera la charla corriente de un vejete. Naturalmente él, siendo inteligente, trató de decirle a Bárbara, y quizás a mí también, algo de lo que le pasaba. ¿Te has fijado en lo que dijo?

—Pues, amigo mío, ha dicho... cosas corrientes —replicó 10 Roberto con expresión desconcertada.

—Cosas corrientes. ¡Al parecer nada más! ¿No te fijaste cómo escribe: «No tengo ni una hora libre siquiera?» ¿Qué quiere decir eso sino que está preso?

—Preso, ¡vaya! ¿Por qué y dónde? 15

—Porque él sabe algo que quieren saber sus raptores. Y ¿dónde? Pues él mismo lo dice: «Pronto volveré a mis ocupaciones habituales.» ¿Y cuáles son ellas? Ya sabes que son la dichosa arqueología, y especialmente las excavaciones aquí en la Fuente de las Calaveras—. Al decir la última frase Toto hizo un gesto con la 20 mano derecha indicando la senda que, siguiendo un arroyo, se alejaba entre dos colinas grandes cubiertas de pinos y matorrales.

—Toto, por Dios, ¿qué dices? ¿Dónde estamos y a dónde vamos?

—¿No has adivinado? Por esta vereda se va a la Fuente de las Calaveras. 25

—Hombre, tú fantaseas. No niego que haya cierta lógica en lo que dices. Es muy posible que exista alguna relación entre cosas aparentemente tan separadas. Sin embargo, esto de raptar a un hombre formal... ni aún en los Estados Unidos se raptan a las personas mayores. 30

—Pues ya veremos quién tiene razón. Te prometo no solamente esta sorpresa lógica que te acaba de asombrar sino otras de realidad más tangible.

—Todavía no puedo convencerme de que sea así. Admito que tienes razón hasta cierto punto, pero vas demasiado lejos, chico; 35 pero que muy lejos.

—Ya verás, ya verás —fué lo único que respondió Toto, y los dos amigos siguieron cuesta arriba en silencio. La senda les conducía a lo largo del torrente que brotaba de la Fuente de las Calaveras. Las colinas se hacían cada vez más empinadas y el valle iba con-
5 virtiéndose en desfiladero estrecho, donde no cabían más que el arroyo y la senda.

Después de dos horas de caminar salieron de entre los montes. El bosque de pinos se esclarecía y la garganta del arroyo se abría en una pequeña llanura circundada de montañas. Hasta el ria-
10 chuelo había perdido su carácter turbulento. A poca distancia se ensanchaba en una balsa profunda y calmosa donde se reflejaban las colinitas que se erguían sobre el nivel del valle.

—Aquí tienes la famosa Fuente de las Calaveras —explicó Toto—. El arroyo brota de las entrañas de la tierra en esta balsa.
15 ¿Y ves aquellos túmulos? Allí tienes ocultos los grandes descubrimientos en que pensabas, porque allí está sepultado el edificio que el profesor Fisher acaba de descubrir. Sí, y quizás algo más. ¿Quién sabe?

La duda no les duró mucho, ya que al salir de las malezas y
20 dejar los últimos árboles que obstruían la vista, se encontraron de manos a boca con una barrera de alambre de púas. Entre dos postes había un letrero que decía: «Acotado—Propiedad de la Sociedad Arqueológica Mexicana.» Y no bien hubieron leído el letrero cuando se destacó en el túmulo más cercano un hombre que
25 llevaba un fusil, seguido de dos perros policía.

—Ya ves —exclamó Roberto vanagloriándose— ¿no te dije que habría una explicación razonable? El profesor Fisher se dió cuenta de que no podía desenterrar todas estas ruinas a solas y habrá pedido auxilio a la Sociedad Arqueológica de la capital. Y con esta
30 explicación tan sencilla se acaban todas tus fantasías.

Se echó a reír a carcajadas, cuando de pronto el grito del guarda y el ladrido de los perros cortaron su risa.

—¡Largo de aquí! —les gritó aquél, echando su fusil al hombro—. ¡Largo de aquí, digo!
35 Roberto miró perplejo a su amigo.

—Vámonos —dijo Toto en voz baja—. No podemos disputarle

—¡Largo de aquí! —les gritó . . .

el terreno ahora. Pero lo que me extraña es que vosotros, los arqueólogos, admitáis tan mala gente en vuestras sociedades. Porque ahora sí que reconozco a Manuel, el hermano del dueño del garage. Entre tanto los dos jóvenes se alejaban por donde habían venido.

6 Buen comienzo y mal fin

5 Las sombras de la noche ocultaban por completo la Fuente de las Calaveras, sus túmulos, sus riquezas arqueológicas y los guardianes de sus tesoros. Sin embargo un punto de luz brillaba en la obscuridad. Parecía partir del centro del pequeño valle.

—¿Ves ahí? —le dijo Roberto a Toto—. Todavía hay algún
10 bicho viviente por allá.

Los dos muchachos bajaban lentamente y con mucha dificultad la ladera de una de las montañas que rodeaban el valle. Se habían propuesto investigar las obras sospechosas, ya fuesen éstas arqueológicas o criminales, que se hacían en la Fuente de las Calaveras.
15 Por la tarde habían hecho un rodeo grande para acercarse al otro lado del muro de montañas y a la caída de la tarde subieron a un puerto que les ofrecía paso al valle, donde esperaron la llegada de la obscuridad. Allí dejaron también sus caballos en un pequeño prado que les ofrecía buen pasto de hierba fresca. Ahora con mucha
20 cautela se acercaban lentamente al sitio donde pensaban hallar . . . ¿quién sabe?

—Esa luz me prueba una cosa —dijo Toto a su vez—. Ya te dije que deben haber necesitado la ayuda del profesor Fisher. Tú verás que está allí y te apuesto a que hallamos en el mismo lugar
25 los tres tomos del diccionario cuya desaparición te ha desconcertado tanto. Yo no temo que esté muerto, aunque sí temo que le maten después de sacarle los informes que necesitan. Si hemos acertado en nuestra suposición y si son realmente los alemanes los que le tienen preso, no pararán en nada después de haberle empleado para
30 sus fines. De manera que tenemos mucho que hacer. Y si no actuamos con presteza, quién sabe lo que encontraremos allí.

—Estoy de acuerdo contigo, pero no olvidemos que esos señores tan capaces de matar al profesor, no nos dejarán sacarle de sus garras sin una lucha.

—Sí, habrá que proceder con cautela. Aunque tenemos revólveres, no somos más que dos contra tres, y hasta es muy posible
que haya alguno más. Además, te has fijado en los perros grandes
y feroces, ¿no? Ellos valen un hombre por lo menos.

Después de cuchichear estas advertencias, los dos jóvenes ca- 5
llaron, bajando a tientas la senda montañosa hasta llegar al fondo
del valle. Por esta parte no encontraron barrera. Sin duda los
nuevos dueños del sitio sabían que los campesinos que iban allí con
poca frecuencia nunca entraban en el valle por la montaña, y creían
que su único acceso era por la garganta donde corría el torrente. 10
Ahora los jóvenes tenían entre ellos y la luz uno de los túmulos más
grandes. A su derecha, junto al túmulo, unas cuantas estrellas se
reflejaban en la balsa de la fuente. Se pararon allí a consultar un
momento sobre el plan de campaña.

—¿Qué crees tú? —preguntó Toto a media voz—. ¿Debemos 15
rodear el montículo?

—A mi parecer sería mejor subirlo para dominar la llanura y ver
la disposición del enemigo —contestó Roberto—. También sería
más fácil escapar en caso de necesidad.

—Bien pensado. Vámonos —respondió Toto. 20

Entonces, poco a poco, a gatas, los dos muchachos fueron subien-
do hasta llegar a la pequeña explanada que formaba la cima del
montículo. De allí se veía claramente la luz. Salía de la ventana
de un edificio curioso. Antes había en el lugar un templo indio, del
cual se erguían todavía algunos trozos de muros. Sobre estos 25
restos alguien había colocado troncos de árboles y toldos para
formar un techo, tapando con lona los agujeros más grandes de los
muros. Sobre las paredes de tela se veían pasar sombras gigan-
tescas de hombres.

—¿Crees que podamos acercarnos aún más? —murmuró Roberto 30
al oído de Toto.

—Sí, vamos a tratar de mirar por la ventana, o más bien por ese
agujero que aun queda sin tapar —contestó el otro.

—Si vamos por este lado, allí donde parece que han excavado
una parte de este mismo túmulo, creo que conseguiremos ver algo. 35
Con pasos aún más cautelosos bajaron la ladera indicada. A

medio bajar pasaron por delante de una abertura grande que penetraba el montículo, sin duda una de las obras del profesor.   Un
poquito más allá, a una distancia de unos veinticinco metros del
edificio alumbrado, ya pudieron ver por la ventana una parte del
5 interior, y precisamente en la parte que alcanzaba su rayo visual,
Roberto vió a un viejo de pelo blanco que, apoyado de codos en
una mesa, leía en un libro grandote; un libro que no podía ser otro
que uno de los tomos del diccionario desaparecido.   Alargó el brazo

... apoyado de codos en una mesa, leía en un libro
grandote ...

y agarrando a su amigo por el hombro le acercó hasta donde podía
10 ver por entre los arbustos.
—¿Es él? —murmuró al mismo tiempo.
—Sí, él mismo.   Tenemos suerte —susurró Toto—.   Y ahora
debemos esperar a que todo el mundo se acueste.   Si pudiésemos
darle un indicio de nuestra presencia aquí a fin de que él saliese a en-
15 contrarnos.   Pero no me parece posible.   Lo único que podemos hacer
es esperar y aprovechar la primera oportunidad que se presente.
Durante media hora estuvieron los dos muchachos acechando

el campamento enemigo. De vez en cuando oían voces confusas de
sus adversarios, y dos veces pasó entre la ventana y el profesor la
figura del alemán bajito, el cual parecía ser el jefe de los criminales.
Por fin la puerta del edificio se abrió, inundando de luz una parte
del terreno. Al instante salieron dos hombres seguidos de los dos 5
perros policía. Detrás de ellos el alemán bajito se asomó a la puerta
para darles las últimas órdenes.

—No vayáis a hacer luz, os repito —les advirtió—. Y no
fuméis tampoco. No os vaya a ver nadie.

—No te preocupes, Hans —dijo uno de los interlocutores con un 10
acento alemán muy marcado—. Voy a tirar este cigarro antes de
salir a campo raso. Reconoceremos bien el terreno con los perros.
Pero no tengas cuidado. No habrá nadie. Y entre tanto, a ver si
tú puedes hacer algo con ese condenado profesor. Nos hace perder el
tiempo aquí. ¿No te dijo que si tuviese el diccionario podría decír- 15
telo todo? Y cada día la misma canción: que necesita más tiempo,
que todavía no puede explicarse los signos. ¡Vaya un profesor!

—Bien, bien —refunfuñó el llamado Hans—. Vete a tu trabajo.
Yo haré el mío. Y si no nos pierdes con tu estupidez, saldremos de
aquí ricos, pero muy ricos.   20

—No te apures —fué la única contestación del otro, quien ya se
alejaba con su compañero y los dos perros.

—Y ahora, ¿qué hacemos nosotros? —le preguntó Roberto a su
amigo—. Es indudable que los perros van a coger nuestra pista,
y entonces, adiós.   25

—Sí, debemos retirarnos —respondió Toto.

Pero en esto, el jefe de los enemigos que todavía estaba parado
en la puerta abierta del edificio, volvió a decir, esta vez hacia
adentro: —Oye, Manuel. Cuida al profesor. Yo voy a subirme
encima del túmulo a ver lo que hay.   30

Era evidente que Hans tenía que pasar muy cerca del escondrijo
de nuestros héroes. Éstos se preguntaron rápidamente lo que
debían hacer. ¿Había llegado la hora del ataque? ¿Debían apoderarse de Hans y después asaltar al campamento enemigo? ¿Podrían retirarse de allí en caso de que consiguiesen libertar al pro- 35
fesor? El viejo sabio no podía correr mucho, y si Hans diese la

alarma cuando los muchachos le asaltasen, tendrían que contar con la vuelta apresurada de los dos centinelas y los dos perros.

Todo eso pasó en un instante por la mente de nuestros jóvenes, y se lo comunicaron por medias palabras, mientras Hans daba los
5 primeros pasos hacia la colina. Entonces, muy pegados a la tierra, los dos muchachos se escurrieron entre los arbustos hasta llegar al gran agujero que penetraba el lado del montículo. Sin vacilar, entraron por la boca abierta de las excavaciones, y tentando las paredes, seguían lo que parecía ser una galería larga. Pronto
10 dieron con una esquina. La galería doblaba a la derecha, y después a la izquierda, hacia el centro del montón. Aquí se agacharon los jóvenes y esperaron unos minutos, escuchando el resoplido de su respiración que parecía magnificarse en el silencio absoluto del recinto subterráneo.

15 —¿Te parece que encendamos una luz? —preguntó por fin Roberto, quien ya tenía la linterna eléctrica en la mano—. Debemos ver cómo podemos defendernos mejor, y además yo quisiera echar una ojeada sobre los descubrimientos del profesor.

—Ah, sí. Dichosos arqueólogos. Aun cuando os va la vida en
20 ello, tenéis que satisfacer la maldita curiosidad. Pero enciende, y acabemos de una vez.

Por un instante sus ojos, acostumbrados a la falta absoluta de luz, fueron casi cegados por la súbita claridad. Después divisaron un corredor largo, cuyas paredes estaban llenas de jeroglíficos.

25 —¡Esto sí que es un descubrimiento! —prorrumpió el extático Roberto. Avanzó unos pasos más, fijándose en los signos de las paredes y dando a su compañero algún indicio de las ideas que representaban—. Estamos en un templo de Quetzalcoatl. Dice que por acá se encuentra el lugar de los sacrificios, la cámara pro-
30 hibida, el lugar de los tesoros.

—Caramba, chico. ¿El lugar de los tesoros? Ya se ve por qué Hans y su cuadrilla se interesan por estas cosas. Va a resultar que las viejas tradiciones de los indios tienen entonces su fundamento real.

Al decir eso, Toto se adelantó un poco, deseoso de verlo todo,
35 proyectando la luz de su propia linterna hacia todas direcciones.

—Aquí hay una sala grande —exclamó al llegar al fin del corredor, donde éste doblaba a la izquierda. Se volvió hacia su compañero. Pero la luz de su linterna reveló algo más que el joven norteamericano. Éste, ensimismado en la lectura de los jeroglíficos, no se había dado cuenta de que algo había entrado en la galería detrás de él. Acercándosele poco a poco, arrastrándose lentamente 5 hacia Roberto, venía uno de los grandes perros policía.

Toto, revólver en mano, se puso de un salto al lado de su amigo. Durante un minuto largo los dos muchachos fijaron la vista en el perro, mirando brillar los ojos amenazadores de éste. Entonces, muy despacio, el perro, siempre preparado para precipitarse sobre 10 ellos, avanzó silencioso, feroz, terrible, haciendo retroceder a los muchachos.

7   El secreto de Quetzalcoatl

Mientras tanto, dentro del edificio formado de trozos de ruinas prehistóricas y de toldos de lona, el profesor Fisher seguía meditando. Tenía los codos apoyados en la mesa con la frente entre las manos. 15 Parecía leer en el gran tomo del diccionario de jeroglíficos, y de vez en cuando consultaba una copia de las inscripciones recientemente descubiertas o bien se fijaba en los signos que adornaban unas pequeñas estatuas y algunas ollas de barro que reposaban en la mesa delante de él. Al otro lado de la pieza estaba sentado Manuel, 20 fumando perezosamente un cigarrillo.

En realidad el profesor pensaba poco en la escritura india. Ya hacía tiempo que sabía descifrar las inscripciones, aunque todavía no podía explicarse el verdadero significado de las mismas. A pesar de eso hacía creer a sus raptores que su sentido se le escapaba y 25 pasaba día tras día haciendo una comedia, fingiendo estudiar lo que ya sabía de sobra.

Aquella noche, la misma en que Roberto y Toto rondaban su prisión, el profesor pensaba en lo de siempre. «¿Cómo poder enviar unas palabras, bien a la policía, bien a mis amigos de México? No 30 quisiera alborotar mucho a mi sobrina. No debo dirigirme a ella. No habrá comprendido mi carta. De otro modo ya estarían aquí

los agentes de la policía. Y lo malo es que tendré que servirme de
mis propios secuestradores como mensajeros. Tendrá que ser un
recado secreto, escrito en forma que ellos no comprendan. Ah, si
pudiese enviarlo en una lengua que ellos no supiesen, por ejemplo el
5 azteca. Lupe lo comprende, y ellos no. Pero, ¿cómo? ¿Cómo
hacer que ellos quieran llevármelo?» El profesor mordía el lápiz y
se pasaba los dedos por los cabellos blancos.

En esto se oyeron pasos fuera del edificio, se abrió la puerta, y
entraron Hans y los dos centinelas. Uno de ellos es ya nuestro co-
10 nocido: el alemán alto y cadavérico del café. El último también
daba claras muestras de ser de la misma nacionalidad, por más que
llevaba un traje exagerado de charro—sombrero enorme, adornado
con chapas de plata, chaqueta corta con mucha bordadura, y pantalones muy ceñidos sobre las caderas y muy anchos de pernera.
15 Un cinturón cubierto de monedas de plata sostenía a su lado un
revólver grandísimo.

Entró muy perturbado éste, diciendo a uno de sus compañeros:
—Pero te digo, Gottlieb, ese perro no se equivoca. Nunca me deja
sin buena causa. Si no me crees ... pues, hombre, ¿no soy yo
20 acaso el amaestrador de perros más conocido de Leipzig? Pronto
negarás que he ganado el premio gordo tres años seguidos. Tú,
Hans, tú me crees, ¿no? —dijo, dirigiéndose con voz casi suplicante
a su jefe.

Mientras sus ayudantes hablaban así, Hans reconoció la estancia
25 con una mirada suspicaz y entonces comenzó a dar órdenes rápidas
sin contestar inmediatamente a la pregunta.

—Tú, Manuel, lía bien al profesor y apaga esa luz en cuanto le
tengas bien amarrado. Tú, Gottlieb, no digas más y deja de fastidiar a Walther. Has oído que el perro salió en busca de alguien.
30 Aun si no fuese verdad, tendríamos que prevenirnos contra toda
posibilidad. Ponte ahora mismo fuera de la casa, de centinela,
mientras Walther se va con el otro perro batiendo el campo para
descubrir la pista del intruso.

Por fin, dirigiéndose al profesor Fisher, cuyas manos ya estaban
35 atadas, le dijo con cierta ironía jocosa y fingida cortesía, bajo las
cuales se podía ver que hablaba realmente muy en serio: — Y Vd,

señor profesor, si quiere quedarse sin mordaza en la boca, no hará
ni un sonido siquiera. De otro modo quizás sería necesario abandonar este sitio, cosa que no quisiéramos hacer sin explorar antes
sus tesoros arqueológicos. Y si lo abandonásemos, antes de dejarlo
ofreceríamos un pequeño sacrificio a los dioses aztecas. ¿Qué sería
más propio que el tributo de un hombre cautivo, precisamente como
se hacía en la edad pre-colombiana? ¿Y quién más conveniente
para el sacrificio que Vd.—el que se atrevió a romper el secreto de
los dioses y molestar su sueño secular?

—Sí, comprendo. Soy su prisionero —respondió el profesor. 10
Pero a pesar de su situación peligrosa una sonrisilla de satisfacción
se dibujó en sus labios. Miraba una figura de barro, uno de los
despojos de las excavaciones, una figura que también tenía las
manos atadas con cuerda, y que representaba una víctima en trance
de ser inmolada en los altares de Quetzalcoatl. Parecía que la 15
sonrisa del profesor revelaba una idea que acababa de ocurrírsele.

Mientras tanto Manuel se dirigió a la lámpara y se disponía a
apagarla cuando se oyó el ladrido furioso, aunque bastante ahogado,
de uno de los perros. Al instante el otro animal se puso a ladrar
también. Hans llegó a la puerta de un salto. 20

—El segundo perro va túmulo arriba —gritó— en dirección de
las excavaciones. Su voz se apaga. Ha entrado . . . sí, ha entrado
en el agujero. Por allí han entrado los bribones que tratan de
robarnos nuestros tesoros. Pero los mataremos—¡vaya que los
mataremos! ¡Todo el mundo al ataque! Los tenemos en un 25
callejón sin salida.

Comenzó a correr hacia el túmulo, pero de repente se volvió y
gritó a Manuel: —Trae al viejo con nosotros. Si trata de escaparse,
mátale—. Y con esto Hans se lanzó otra vez al ataque.

Al llegar él a la abertura de las excavaciones, halló a sus dos 30
cómplices que le habían precedido. Hans no se había engañado.
El ladrido de los dos perros salía del agujero.

—Vamos allá y estad alerta —mandó Hans. Todos encendieron
sus linternas eléctricas, y rápidamente, pero no sin cautela, siguieron las vueltas de la galería. Por fin llegaron a la última esquina 35
y entraron en una pieza bastante grande donde sus luces revelaron

a los dos perros, todavía aullando ferozmente, delante de una estatua grande de un bárbaro dios indio. Proyectaron las luces por todas partes pero no vieron nada sino paredes llenas de jeroglíficos. Entre tanto los perros no se movían de su puesto. La estatua, de
5 alto relieve, que estaba arrimada a la pared, reflejaba la claridad en sus verdes ojos lucientes.

—Walther, sujeta a los perros —gritó Hans, fuera de sí. Y poniéndose cara a cara con la estatua, el pequeño alemán dió golpes furiosos en el pecho de Quetzalcoatl.

10 —Este condenado dios tiene algo que ver con el secreto —prorrumpió— y aquel viejo que se llama un sabio tiene que revelárnoslo. Si no . . . ¿Dónde está? ¡Manuel, Manuel, trae a ese viejo idiota!

En esto entró Manuel, llevando del brazo al profesor.

—¿No quieres decirnos el secreto que oculta esta estatua?
15 —chilló Hans—. Te doy precisamente veinticuatro horas, y si no quieres, ¡peor para ti!

8   El paraíso invadido

Los pájaros cantaban y las flores mostraban sus colores a la luz del sol naciente. Todo el jardín estaba bañado de rocío. El nuevo día amanecía lleno de esperanza y de promesas halagadoras.
20 Sin embargo sobre la vereda del jardín, dos pequeños pies medían una y otra vez ansiosamente la distancia entre la casita y el portón. Bárbara Fisher se paseaba nerviosamente, llena de energía reprimida. Por fin se volvió a Lupe, quien trabajaba agachado entre las flores.

25 —Sabes, Lupe, que me he decidido a hacer algo, aun cuando no sepa precisamente qué.

—Pero, ¿de qué habla la señorita?

—De mi tío. Tú sabes perfectamente bien que hay algo sospechoso en su prolongada ausencia. ¿Por qué no me escribe más?
30 Una sola carta en tanto tiempo, y además, lo que dice en la carta no me parece muy natural. Vamos, dime lo que tú crees, sin reserva alguna.

—Te doy precisamente veinticuatro horas . . .

—Pues, señorita, yo creo . . .

—La pura verdad.

—Pues, no quiero alarmar a la señorita, pero a mí también me parece bastante sospechosa la cosa. El amo se fué con mucha ansia
5 de volver a su descubrimiento. Además, ayer hablé con el señorito Antonio y con el joven norteamericano, y a ellos tampoco les gusta la situación. Pero, ¿qué vamos a hacer? ¿Dónde estará el amo?

—¿Tú no crees que esté en México?

—Yo lo creía, pero según lo que el señorito Antonio deja entrever,
10 quizás no esté, porque el señorito dice que el amo no está libre, que está cautivo, que no escribió la carta libremente.

—Eso mismo me decía la intuición. Yo no creo que mi tío haya escrito una carta así—es decir, es su letra, pero lo que dice no es suyo. Pero, ¿qué pasa? Alguien está a la puerta.

15 Ambos corrieron a abrir la gran puerta del jardín, y se encontraron con un señor bajo y regordete, evidentemente un extranjero. Detrás de él se veía un gran coche rojo, también de origen europeo.

El extranjero se quitó el sombrero y se inclinó con mucha cortesía, diciendo: —¿La señorita Fisher? Tanto gusto. Siento
20 mucho molestarla a estas horas, pero no puedo quedarme mucho tiempo en su pueblo encantador. ¡Qué bonito jardín! ¡Qué paisaje tan magnífico! Desgraciadamente debo volver a México esta mañana. Pero Vd. no sabe quien soy. Perdóneme. Me llamo Reichhardt, antiguo profesor de arqueología de la Universidad de
25 Freiburg. Ayer visité unas ruinas aztecas no lejos de aquí y al escarbar un poquito la tierra hallé esta figurita.

Al decir esto, sacó de su bolsillo una figura de barro. Los ojos de Lupe se fijaron en la estatua, pero no dijo nada ni mudó de actitud.

30 —Antes de salir de la capital —continuó el extranjero— hablé con mi buen amigo, el profesor Fisher, tío de Vd., quien me contó varias cosas interesantísimas acerca de la arqueología local de Tenoztiplán. Entre otras cosas, alabó mucho los conocimientos linguísticos de su jardinero. Por eso he pensado yo que quizás él
35 podría ayudarme en la interpretación de los jeroglíficos que se ven en esta estatua.

Durante todo este monólogo, Bárbara estaba absorta y algo
atónita. El recién llegado se deshacía en cortesías y sonrisas.

Por fin prorrumpió ella: —Pero, señor, precisamente hablábamos
de mi tío. ¿Vd. le ha visto recientemente? Estamos muy apurados.

—Naturalmente le he visto, señorita. Está perfectamente. 5
¿Por qué están Vds. apurados?

Se veía un cambio imperceptible en la actitud de Bárbara. Se
diría que no se fiaba del profesor alemán y que ocultaba adrede su
perturbación. Siguió diciendo:

—Porque es muy malo y no nos escribe. Si Vd. vuelve a verle, 10
dígale que nos escriba con mucha frecuencia. Que yo me aburro
aquí solita.

—Encantado de poder servirla en algo. De vuelta a México, le
daré su recado en seguida. Pero, a propósito de los jeroglíficos . . .

—Ah, sí. Aquí mismo tiene Vd. a Lupe, el compañero de mi tío 15
en sus exploraciones.

Lupe se inclinó y después se adelantó a tomar la estatua entre las
manos. Miró los signos fijamente dos o tres minutos. Entonces
meneó la cabeza, diciendo:

—Esto sí que es difícil, señor. ¡Ojalá que el amo estuviese aquí 20
para descifrarlo! Él buscaría en sus grandes libros el verdadero
significado mientras yo . . . pues, yo veo varias interpretaciones,
y no sé por cuál decidirme entre ellas.

—Pero, hombre, dígame por lo menos la más probable— exclamó
el extranjero, aparentemente un poco irritado. 25

—Pues, no aseguro que sea el verdadero sentido, pero creo que
esta parte quiere decir: «Oh, Quetzalcoatl, grande es tu nombre.»
Y entonces aquí, la otra línea, creo que dice: «Y tus tesoros son
infinitos.»

—De manera que significa solamente: «Oh, Quetzalcoatl, grande 30
es tu nombre, y tus tesoros son infinitos» —repitió el alemán, y
entonces se echó a reír—. Qué significado más ridículo. Yo creía
que era algo de importancia —y otra vez soltó una carcajada. Pero
había una nota de amargura e irritación en la risa del Sr. Reichhardt. Recobrando después su compostura, ofreció una gratifica- 35
ción a Lupe, quien se negó a aceptarla. Luego admiró profusa-

Lupe . . . se adelantó a tomar la estatua . . .

mente las flores del jardín, la vista sobre las montañas, lo ameno de
la casita, y se despidió con mil gracias, reiterando la promesa de
llevar cuanto antes el recado de Bárbara al profesor Fisher.

Antes de cerrar el portón del jardín Lupe se fijó bien en el gran
coche rojo que manejaba el profesor. Éste dió la vuelta y volvió 5
hacia el centro del pueblo, y Lupe, siguiéndolo con los ojos, vió
venir, camino abajo, a un hombre a caballo. Era el mayordomo
de la hacienda del gobernador. Él también divisó a Lupe y le hizo
señas con la mano. Al llegar ante la puerta, preguntó de buenas a
primeras: —¿Sabes algo del señorito Antonio y su amigo? ¿Han 10
pasado por aquí esta mañana?

—No, señor.

—¿Ayer por la tarde?

—Tampoco. La última vez que estuvieron aquí fué ayer por la
mañana. 15

En esto, Bárbara apareció detrás de Lupe y preguntó azorada:
—Señor Martín, ¿qué dice Vd.? ¿Dónde está Toto?

—Eso es lo que nos preguntamos allá en la hacienda. ¿Dónde
estarán los dos muchachos? Han desaparecido —respondió el
mayordomo sonriendo maliciosamente—. Pero no tenga cuidado, 20
señorita. Cosas de jóvenes. Tienen buenos caballos y sin duda
se les antojó dar un paseíto a otra hacienda. Yo mismo lo hacía
muchas veces siendo de su edad. Algunas veces no volví a mi casa
en ocho días. Sangre joven y buen caballo, ¡ojalá que los tuviese
yo otra vez! Pero el gobernador quiere que los busque. ¡Ay de 25
mí! Adiós, señorita. No se apure. Adiós, Lupe.

El señor Martín se alejó a un trote reposado.

—¿Crees tú, Lupe, que el señor Martín tenga razón?

—El señor Martín tiene razón en muchos casos pero en éste, no.
Lo que dice de los jóvenes y de los caballos es cierto, pero el señorito 30
Antonio no es un joven cualquiera.

Bárbara se ruborizó un poquito al oír estas palabras y preguntó:
—Entonces, ¿dónde estará?

—Salió de aquí con la determinación de hallar el paradero del
amo. Creo que donde esté el uno, estará el otro. 35

—¿Y no puedes decirme dónde?

—Sí, señorita, creo que puedo decírselo. Vd. ha visto la figura de barro que nos acaba de mostrar ese extranjero bajito. Descubrimos figuras parecidas en las últimas excavaciones en la Fuente de las Calaveras, y el amo me dijo que eran únicas—algo que no se
5 halla en otras partes. Los jeroglíficos inscritos allí eran muy fáciles de leer aunque yo fingí encontrar ciertos obstáculos. Ellos no constituían la parte importante del mensaje. La figura misma, un cautivo, atado de manos, un cautivo que va a ser ofrecido como sacrificio humano a Quetzalcoatl, eso sí que importa. Y una figura
10 que el amo sabe que yo reconoceré como descubrimiento suyo. Es muy sencillo, ¿no, señorita?

—Sí —respondió Bárbara— ya comienzo a ver más claramente. Mi tío está preso y en la Fuente de las Calaveras. Y eso de enviarnos los jeroglíficos para ser interpretados ha sido una manera
15 de comunicarnos su estado y localidad. Y el alemán ése es uno de sus raptores. Te digo, Lupe, que debíamos matar a ese hombre.

—No, señorita. ¿Por qué no llamamos a la policía?

—Tú sabes que el Sr. Reichhardt sería capaz de matar a mi tío. Debe tener sus espías y él sabrá cuando la policía se dirija hacia la
20 Fuente de las Calaveras. La policía siempre llega después del asesinato, nunca antes. Además yo tengo un plan. Si resulta bien, no necesitaremos la ayuda de la policía. Escucha . . .

9   Otra víctima de Quetzalcoatl

Mientras Lupe y Bárbara discutían así el recado del profesor Fisher, éste se dirigía a las excavaciones. Sus secuestradores le
25 permitían cierta libertad y solía entrar con frecuencia en el viejo templo de Quetzalcoatl con el fin de examinar de nuevo los jeroglíficos.

Pensaba en su recado, que Hans estaría dando a Lupe en aquel mismo momento, pero no se sentía muy esperanzado, porque no
30 podía olvidar la posibilidad de que no lo entendiese éste ni las pocas horas de vida que le había concedido aquél.

Así que se decía: «Si no acierto ahora, será mi última visita a mi descubrimiento. Aquí donde he prodigado tanto trabajo físico e intelectual, donde por fin mis esfuerzos habían culminado en un hallazgo notable, aquí mismo voy a perder la vida si no llego a resolver completamente el misterio. Reichhardt me dió veinticua- 5 tro horas de las cuales me quedan solamente catorce. A ver dónde estamos en lo de la solución. Sin duda existe una cámara secreta. Las escrituras hablan del ‹lugar de los tesoros y de los sacrificios.› Puede ser que aludan a la sala central presidida por la estatua de Quetzalcoatl. Es posible que alguien haya sacado los tesoros de 10 allí. Quizás uno de los conquistadores halló este templo, o si no lo halló, hizo que los indios sacaran los tesoros por medio del tormento aplicado a su rey. Pero a pesar de todo eso, yo creo que el ‹lugar de los tesoros y de los sacrificios› queda inexplorado. ¡Ojalá supiese dónde hallarlo y que no me fuera necesario revelarlo, una 15 vez descubierto, a estos bárbaros que no verían otro valor en los viejos adornos sino el peso de su oro!»

El profesor hablaba así para sí mismo mientras recorría las vueltas de la galería. Al fin llegó a la sala central donde siguió la pared escudriñándola bajo la luz de su linterna, buscando no sólo el 20 sentido oculto en los jeroglíficos, sino mirando también la juntura de las piedras por si había posibilidad de una puerta secreta. Al llegar al lado opuesto de la puerta se puso a examinar detenida- mente la estatua de Quetzalcoatl. Ésta estaba formada de un bloque grande y cuadrado de piedra que salía unos dos pies de la 25 pared y sobre la superficie de la cual el escultor había grabado el dios en alto relieve. El profesor daba golpecitos en la estatua para ver si sonaba a hueco.

«Es imposible que una masa de piedra tan grande y tan sólida forme una puerta,» se dijo. «Pero debe haber una salida al cuarto 30 secreto por aquí.» Una vez más leyó la inscripción que rodeaba la estatua. «El que se humilla, será exaltado. Morirá debajo de mis pies.» Ya la había leído muchas veces. «Aquí estoy en el mismo lugar de los sacrificios,» se dijo el viejo erudito. «El lugar de los sacrificios. Pero, ¿será también el lugar de los tesoros? Nos dicen 35 los viejos historiadores que las víctimas sacrificadas a Quetzalcoatl

iban a su muerte con sumo gozo. Sin duda les animaba esta misma inscripción que les prometía una vida mejor después de perdida ésta. Supongo que habría un altar aquí sobre esta misma losa que tocan mis pies y que la sangre de las víctimas cubriría el suelo de
5 esta sala. Pero, ¿quién sacó el altar? Además, ¿por qué no veo manchas de sangre aquí? Estoy seguro de que nadie ha penetrado aquí después de la época de la conquista.»

Y el profesor se puso de rodillas sobre el pavimento. Sopló el polvo, rasguñando la superficie de la piedra con las uñas para ver
10 si aún quedaban indicios de los sacrificios.

«En esta posición,» pensaba, «con la cabeza casi tocando el suelo, yo también me humillo delante del antiguo dios. Pero, ¿seré exaltado? ¿Hallaré la muerte o mi salvación debajo de los pies de Quetzalcoatl?»

15 Levantó la vista un poco y en esa posición, muy junto a la tierra, pudo ver bajo los pies salientes de la estatua una cosa en que no se había fijado hasta entonces. Era una pequeña palanca. «A ver lo que es esto,» dijo el profesor, y tiró de la palanca. Sintió un leve ruido como si se soltase un pestillo, y la losa de piedra delante de la
20 estatua se inclinó hacia abajo. El profesor hizo un esfuerzo desesperado para agarrarse a los pies de Quetzalcoatl. Pero la piedra resbaló debajo de sus dedos y el profesor, dando un chillido, rodó hacia el abismo. Se oyó un chapoteo, la losa volvió a su posición primitiva, y en seguida se oyó el mismo leve ruido del pestillo.

25 Por nuestra parte sigamos al profesor Fisher en su nuevo y más peligroso descubrimiento. El buen viejo había rodado como quince pies cuando cayó en un estanque de agua. Se hundió en él hasta llegar al fondo, y al volver a la superficie, sin aliento, boqueando, se encontró rodeado de una obscuridad absoluta. Está de más
30 decir que el profesor sentía miedo. En un segundo pasó por su mente todo lo que había leído acerca de los cenotes, los pozos sagrados donde los mayas arrojaban las víctimas sacrificadas a sus deidades. Y lo más extraño de todo fué que este pensamiento disipó al instante el temor.

35 «Este descubrimiento es en realidad importantísimo,» pensó. «Antes no se sabía que los aztecas tenían también cenotes, y yo lo

he descubierto por primera vez, yo que sin duda no podré comunicar mi hallazgo al mundo científico.»

Pero en ese momento un rayo de luz hirió la superficie del agua y se detuvo en la cabeza del profesor como si éste fuera un actor bajo el foco del teatro. 5

Una voz exclamó: —Profesor Fisher —y al instante se oyó ruido de agua, del agua removida por un nadador. Otra cabeza entró en el círculo de luz, y el profesor reconoció a su amigo Toto.

Momentos después los dos salían del agua, ayudados por Roberto, quien sostenía la linterna eléctrica. 10

—¿Usted aquí, señor Fisher? ¿Cómo sabía . . .?

—Sí, pero Vd., ¿cómo llegó Vd.? ¿Y este joven?

—Ah, sí, Vd. no conoce a Roberto Blakesly, mi amigo norteamericano.

Aunque el profesor chorreaba agua, saludó gravemente a Ro- 15 berto, diciendo: —Mucho gusto en conocerle.

Y Roberto contestó: —Vd. no sabe qué gustazo me da conocer a un hombre tan sabio como Vd. Este descubrimiento suyo va a hacer historia.

Y con esto, Roberto dirigió la luz hacia un montón de objetos que 20 los dos muchachos habían juntado sobre la orilla del estanque. Estatuas de jaspe, cajas incrustadas de piedras preciosas, máscaras y adornos de oro y plata.

—Esto sí que es interesante —exclamó el profesor y dió un paso hacia el tesoro. Pero volviéndose de repente formuló de nuevo su 25 primera pregunta—. Pero, ¿cómo llegaron Vds. aquí?

—Supongo que de la misma manera que Vd.; es decir, que supimos que Vd. estaba preso y anoche rondábamos el lugar buscando el modo de librarle. Uno de los perros nos descubrió en el templo. Tuvimos que retroceder hasta la sala de la estatua y allí, mientras 30 el perro se quedaba en la puerta, nos pusimos a buscar una salida secreta. Roberto dió golpes en el suelo y notó que sonaba a hueco delante de la estatua. Al ruido de los golpes el perro, que todavía no había ladrado, se puso a gruñir, dejando la puerta y acercándose a nosotros. Yo me puse al lado de Roberto para defenderle mien- 35 tras continuaba buscando la salida. En esto leyó la inscripción de la estatua.

—Ah —interrumpió el profesor— Vd. sabe leer azteca.

—Sí, señor. Yo también soy arqueólogo, aunque sean muy
humildes mis conocimientos. Cuando vi que decía algo como
«Debajo de mis pies se hallará . . .»

5   —Perdóneme Vd., Vd. se equivoca.

—Sí, ya sé que lo interpreté mal. El signo que tomé por *cachua*,
hallar, era en realidad *cachúa*, *morir*, pero no me di cuenta de mi
error hasta llegar al fondo de este estanque.

—Y entonces —añadió Toto— el error resultó irremediable.

10   —Pues nosotros tenemos mucho que discutir, Sr. Blakesly —dijo
el profesor, dirigiéndose otra vez al montón de tesoro—. Además
Vds. han hallado esqueletos—agregó, al notar otro montón de
huesos de las antiguas víctimas—. No cabe duda de que estamos en
«el lugar de los tesoros y de los sacrificios.» Pues sí, señor, ¡cuánto

15 tenemos que discutir!

—Señores arqueólogos —prorrumpió Toto entre risueño y
serio—. Tenemos problemas de mayor interés actual que los que
Vds. plantean. En efecto, si no dedicamos ahora mismo todas
nuestras fuerzas a hallar una salida de este pozo, sus discusiones

20 resultarán puramente académicas. Vd. verá, señor profesor, que
disponemos de muy poco espacio aquí. Estamos en el borde de
una roca donde sólo cabemos nosotros y estas reliquias. Vd. —
continuó— está completamente mojado.

—Y Vd. también —dijo el profesor.

25   —Y aquí es imposible secar la ropa mojada. Además no debemos
gastar la luz de esta linterna, la única que nos queda. Le dejaremos
ver el recinto y entonces apagaremos la luz y discutiremos nuestra
situación a obscuras. Esta agua —siguió Toto, dirigiendo la luz a la
superficie tersa del estanque— parece . . .

30   —Pero, hijo mío —exclamó el profesor—. ¿Ven Vds. lo que yo
veo?

Donde la luz de la linterna penetraba hasta el fondo del agua se
veía como una alfombra formada de huesos, calaveras, y objetos
de metales y de piedras preciosas.

35   —Sí, señor profesor, todavía queda mucho que recobrar —dijo
Toto algo impaciente—. Vd. es muy parecido a Roberto, porque

él pasó media hora extrayendo del agua lo que Vd. ve aquí. Pero iba a decirle que esta agua, esta agua parece ser la de un río subterráneo.

—Ah, sí, ya veo que tiene corriente. ¿Será por ventura la misma agua que brota de la Fuente de las Calaveras? 5

—Precisamente —confirmó Toto—. Y ahora apagaré la luz y nos sentaremos aquí a considerar nuestra situación.

Los tres se sentaron y empezaron a hablar con animación. Toto tenía dificultad en hacer comprender a los otros la seriedad de la situación. A pesar de él los dos arqueólogos volvían siempre a su 10 asunto predilecto. Poco a poco sus ojos se acostumbraban a la obscuridad, aunque la completa falta de luz no les dejaba ver nada.

—Y ahora —dijo Toto— voy a ver por donde sale el agua de este estanque. El sol ya ha de estar bastante alto y su luz debe de caer de lleno sobre la Fuente de las Calaveras—. Se inclinó hacia el 15 estanque y exclamó lleno de júbilo: —¿Ven Vds.? Miren. ¿No ven Vds. por aquel lado? Hay un pequeño resplandor de luz debajo del agua.

10   Un pinchazo feliz

El sol ya estaba en lo alto del cielo. Serían las diez de la mañana del mismo día fatídico en que Hans Reichhardt hizo su visita a la 20 casita del profesor Fisher y en que éste cayó al pozo de los sacrificios. Hacía muchísimo calor, y los pajaritos estaban callados.

Había mucho polvo en la única carretera que arrancaba de Tenoztiplán. Desafiando el calor y el sol, un gran automóvil lujoso salía de la aldea con dirección a la capital. Detrás del volante 25 estaba sentado Hans Reichhardt, la cabeza calva reluciente de sudor. Los labios comprimidos y el entrecejo fruncido indicaban determinación y aún desesperación.

«Pícara suerte la mía,» pensaba. «Entre las manos tengo un tesoro y por culpa de un vejete que no puede o no quiere decirme 30 una frase estoy para perderlo. Quisiera llevar el asunto a cabo sin levantar sospechas ni emplear la fuerza bruta, pero ¡ay de mí! ha

llegado la hora de la acción decisiva. El profesor o no sabe o no quiere decirme el paradero del tesoro. Bien. Me queda un solo recurso—la dinamita. Haré volar el túmulo, parte por parte, hasta dar con la cámara oculta—eso es, si el profesor no habla. Yo
5 sospecho que al ver una carga de dinamita debajo de sus hermosas piedras, cantará.» Una sonrisilla maliciosa se pintó en la cara del alemán.

. . . se arrojaron sobre Hans . . .

¡Cataplún! La sonrisilla se disipó de súbito. ¡Un pinchazo! Hans bajó lentamente y examinó el neumático. No cabía duda.
10 Un gran clavo lo había penetrado. Hans levantó la vista en busca de ayuda. No había casa visible, y a todo lo largo del camino bordeado de árboles, no vió más que una sola figura, la de un indio montado en un burro que se acercaba a él.

Éste dijo, quitándose el sombrero: —Buenos días, patrón.
15 ¿Quiere que le ayude a cambiar la rueda?

Comenzaron a trabajar. Mientras Hans maldecía su suerte el indio invocaba a todos los santos y santas del paraíso porque el trabajo resultaba muy difícil, especialmente con el calor que hacía. En esto, otro indio apareció a la vuelta del camino, se aproximó

y ofreció también su auxilio. Cuando los tres tiraban de la rueda
con todas sus fuerzas, se oyó a lo lejos el motor de un coche.
Este sonido parecía una señal convenida entre los dos indios.
Sin más ni más se arrojaron sobre Hans, revolcándose los tres en el
polvo. La lucha fué dura, pero por fin Hans quedó atado y vigi- 5
lado por un indio que le amenazaba con su propio revólver. Entonces Hans pudo por primera vez mirar el coche cuyo ruido había
servido de señal para el asalto. Ya estaba estacionado a poca distancia, y el alemán divisó con rabia la cara impasible de Lupe y la
de Bárbara Fisher que antes le había parecido tan encantadora. 10
Éstos bajaron del coche y se dirigieron resueltamente al cautivo.

— ¿Y ahora, Sr. Reichhardt, quiere Vd. decirnos dónde está mi
tío? —preguntó Bárbara de una manera amenazadora.

—Srta. Fisher, su tío de Vd., según ya le he dicho, está en la
capital. Si Vd. tiene alguna influencia con estos asesinos, dígales 15
que me suelten al instante. ¡Qué barbaridad! Les digo que voy
a llamar a la policía. Es inconcebible que un hombre de paz sea
asaltado así.

—Basta de fingir, Sr. Reichhardt. Vd. nos llevará a ver a mi tío
y mandará que sea puesto en libertad en seguida. Si no, Vd. queda 20
preso como rehén hasta que él aparezca.

—Señorita, le aseguro que no sé nada de lo que Vd. dice. No
tengo nada que ver con su tío.

—En ese caso tendremos que seguir con nuestro plan. Todo el
mundo al coche —ordenó Bárbara, y en seguida el auto arrancó 25
con dirección a la aldea, dejando atrás el gran Mercedes-Benz.

Los curiosos del pueblo no vieron nada extraño puesto que Hans
Reichhardt iba acostado en el fondo, atado de manos y pies.

En lugar de tomar el camino de su casa, Bárbara siguió el que
conducía hacia la senda de la Fuente de las Calaveras. Al llegar 30
fuera de la población donde el camino se convertía en vereda, paró
el coche. Vieron cuatro indios recostados a la sombra de unos
árboles, quienes aparentemente charlaban y pasaban el tiempo.
Pero atados a los árboles había nueve caballos ensillados.

Bárbara estacionó el coche bajo los árboles, los indios comenzaron 35
a preparar los caballos para un viaje, y pronto todo el mundo,

inclusive Hans Reichhardt, se puso en marcha hacia el supuesto paradero del profesor Fisher. Mientras Bárbara cabalgaba al lado de Lupe los dos discutían sus proyectos.

—Si mi tío no está allí, ¿qué vamos a hacer?

5 —Vamos a pasar un año en la cárcel —respondió su compañero estoicamente—. Pero no cabe duda. Él está y le descubriremos.

—Pero, ¿cómo haremos que hable el alemán?

—Quizás tengamos que forzarle un poco, pero prometiéndole su libertad por la del amo conseguiremos nuestro fin. Entre tanto 10 debemos pensar en sus camaradas y no dejarnos sorprender por ellos.

Lupe mandó a uno de los suyos que se adelantase para explorar el terreno mientras los otros esperaban, antes de entrar en la estrecha garganta formada por el arroyo. Los caballos pataleaban 15 y sacudían la cola para espantar los moscones. Hacía diez minutos que no hablaba nadie cuando Reichhardt prorrumpió:

—Escúchenme un momento.

Lupe y Bárbara se acercaron a él esperanzados.

—¿Qué quiere Vd.? —preguntó aquél.

20 —Yo me rindo. Vds. me tienen en tal situación que tengo que confesar la verdad. Mi amigo el profesor Fisher está allí en la Fuente de las Calaveras. Él no quería alarmarles a Vds. porque había cierto peligro en nuestras excavaciones y por eso no dijo nada de su vuelta de la capital. Disfruta de buena salud y Vds. le verán, 25 pero solamente si siguen mis direcciones. Nuestra sociedad arqueológica está desenterrando un tesoro importante y tenemos centinelas quienes no vacilarían en matar a nadie. Este grupo es sospechoso, viene armado y en son de guerra. Algunos de los nuestros son alemanes que no hablan bien el castellano. Por eso, si quieren 30 evitar un desastre, me permitirán hablar con los centinelas antes de que entren Vds. en el campamento.

Lupe le miró de hito en hito. —Está bien —dijo por fin— pero le advierto que tiro muy bien y que mientras Vd. esté hablando con los suyos mi rifle estará apuntándole. Así que tenga Vd. cuidado.

35 —Sí que lo tendré —respondió Reichhardt— pero no sé por qué Vds. no se fían de mí.

—Cuando veamos y hablemos al amo veremos si Vd. es digno
de fe. Y ahora vámonos. Aquí viene Pedro de vuelta.

El explorador les hacía señas para que siguiesen.

Hans Reichhardt iba pensando con malicia: «Ahora voy a salir
con la mía. Nos acercamos, me adelanto a hablar con los míos y 5
les digo que pongan al profesor dentro del templo y que Walther y
Manuel se escondan con los perros. Entonces Gottlieb y yo tra-
taremos a estos tontos con llaneza, mezclándonos con ellos como si
no hubiera nada, y nos dirigiremos todos hacia el templo. Yo
ponderaré entonces los descubrimientos interesantes que hay 10
adentro y todos entraremos a verlos y a recoger al profesor. Si
todavía tienen sospechas es posible que dejen a un hombre de
centinela, pero Walther, Manuel y los perros se encargarán de él,
poniéndose luego a ambos lados de la entrada. Nadie podrá salir,
y entonces yo propondré al profesor que sus amigos depongan las 15
armas y queden como nuestros huéspedes hasta el descubrimiento
del tesoro. Luego les ataremos a todos, volveré a México a recoger
la dinamita, y antes que pase un día seremos dueños del tesoro.»
Hans pensaba así, muy satisfecho de su plan, cuando llegaron al
alambrado. 20

—¿Qué es esto? ¿Quién ha puesto una barrera aquí? —exclamó
Lupe, quien se adelantó a leer el letrero.

Todos se apearon, cruzaron la barrera, siguieron el arroyo unos
pasos hasta llegar a la gran balsa de la fuente. Rodearon el túmulo.
Todavía no habían visto a nadie. La cara de Hans Reichhardt 25
mostraba un asombro cada vez más intenso.

—¿Qué pasa aquí? —tartamudeó—. Walther . . . Gottlieb —
gritó, pero no se asomó nadie. En todo el pequeño valle no se
oía más que el eco de su voz. Las facciones de Hans indicaban una
consternación vivísima. «¡Si me han traicionado!» rechinó entre 30
dientes. «¡Si el profesor ha comprado su libertad revelándoles a
ellos el lugar del tesoro! Él sabía que ellos no le matarían después,
mientras que yo . . .»

11   Un error que por poco resulta un acierto

Volvamos ahora a las diez de la mañana, cuando Hans Reichhardt estaba luchando primero con una rueda de repuesto y después
con los dos indios. A esa misma hora el profesor Fisher, en el pozo,
discutía con Roberto los nuevos rumbos que su descubrimiento
5 haría tomar al pensamiento arqueológico. ¿Qué hacían a aquella
hora nuestros personajes menores; a saber, Gottlieb, Walther y
Manuel? Su jefe les había dado órdenes muy explícitas. Walther
con sus perros había de servir de centinela, Manuel tenía que dedicarse especialmente al profesor, y Gottlieb, como lugarteniente del
10 jefe, había de mantenerse de reserva, ayudando a los otros en caso
de necesidad.

Ya hacía una hora que el profesor estaba en las excavaciones, lo
cual no había llegado todavía a inquietar a Manuel. Éste estaba
arrimado a la pared del viejo edificio, disfrutando de la sombra
15 fresca y de los cigarrillos que los alemanes le proporcionaban en
abundancia. Frente a él estaba el túmulo con la negra abertura de
las excavaciones. Su única preocupación era la de mantener abier-
tos los ojos.

Gottlieb se había quitado la camisa y trataba de tostar al sol su
20 cutis pálida. Su ambición secreta era tener la piel bronceada,
aunque nunca conseguía cambiar radicalmente su palidez sepulcral.

Por su parte, Walther seguía los perros, los cuales siempre volvían
sobre la pista que habían dejado Toto y Roberto la noche anterior.
25 Unas veces seguían el rastro sobre el túmulo, hasta el punto desde
donde los muchachos habían observado el interior del edificio;
otras veces tomaban la dirección contraria y llegaban al pie de la
vereda montañosa por donde los jóvenes habían bajado al valle.

No necesitamos añadir que Walther estaba tratando de vindicar
30 a los perros. Su honor de amaestrador había sido puesto en tela
de juicio. Sus compañeros creían que sus perros habían seguido
una pista falsa y su jefe le había reprochado severamente con motivo
del incidente.

Pero Walther no había perdido su fe ciega en el olfato de sus animales. Escudriñaba el suelo buscando la prueba deseada, una señal de la presencia de algún hombre extraño en el recinto del valle, algo que convenciera a los desconfiados. Por consiguiente, no perdía de vista a los perros, por más que gruesas gotas de sudor 5 le chorreaban debajo del pesado sombrero pintoresco.

. . . halló Walther las huellas . . .

Finalmente, después de recorrer varias veces el trayecto entre la entrada de las excavaciones y el principio de la senda sin hallar novedad alguna, Walther consintió en que sus animales subiesen por la ladera unos quinientos metros. Había allí un arroyuelo que 10 enlodaba el suelo de la vereda, y allí—¡qué gustazo!—halló Walther las huellas de los pies de dos hombres.

Llamando los animales y gritando a sus compañeros al mismo tiempo bajó jadeante la montaña.

—Aquí en el valle . . . hay alguien —balbució, al hallarse en 15 presencia de los otros—. Los perros no mienten . . . allí . . . huellas . . .

Gottlieb y Manuel comenzaron a correr en la dirección indicada, pero súbitamente aquél, acordándose de sus deberes de lugarteniente, paró en seco y le preguntó recelosamente a Manuel: 20

—¿Dónde está el viejo?

—Allí en el templo. Hace más de una hora que entró.

—Pues no me gusta que esté sin guarda... especialmente si alguien realmente está en el valle. Vete a traerle.

5   Con esto Manuel volvió al viejo edificio a buscar una linterna eléctrica mientras Gottlieb, guiado por el triunfante Walther, examinaba las huellas en el lodo.

Era indudable; los perros no se habían equivocado. En tal caso, ¿dónde estarían los intrusos?

10   —Te digo que debes fiarte de estos animales —insistió Walther—. Ellos dicen que las personas a quienes pertenecen estas huellas están... ¡delante de la estatua de Quetzalcoatl!

—¡Ja, ja, ja! ¡Imposible! ¿No hemos mirado por todas partes?

—Pero, ¿no ha dicho Hans que la estatua es la llave del secreto?

15   —Hombre, no me fastidies más. Los que han venido, o están escondidos aquí en el valle, o ya han salido. Haz una correría del valle para ver si encuentras otra pista...

—¿Otra vez? Ya hemos dado dos vueltas...

—¿Y no has hallado nada?

20   —Nada más que esta pista —indicó el amaestrador, señalando la vereda—. Es muy posible que los intrusos se hayan escapado por aquí también.

—Y ¿cómo no dejaron huellas yendo montaña arriba?

—Porque volvieron al amanecer cuando había bastante luz para 25 dejarles ver donde debían poner el pie.

—¿Estás completamente seguro que no salieron por el desfiladero?

—¿Cuántas veces te he de repetir que estos perros no mienten? ¡Voto a...!

30   Mientras discutían así, los dos hombres se dirigían lentamente a su cuartel general. Esperaron a Manuel unos minutos. Cuando éste no apareció comenzaron a llamarle a gritos, cada vez más altos y apremiantes. Se disponían a ir a buscarle cuando por fin la cara desconcertada de Manuel se mostró en la entrada del templo.

35   —¡Ven acá! —ordenó Gottlieb—. ¿Qué haces allí desde hace tanto tiempo? Te habrás dormido otra vez.

—Es que ... —comenzó a decir Manuel—. Es que ... no hallo al profesor.

—¡No hallas al profesor! ¡Qué diablos! —gritaron los otros.

Se precipitaron a la abertura, cogieron la linterna de Manuel, y recorrieron apresuradamente la galería. Nada. ¡Ni sombra del 5 profesor!

—Eso quiere decir que se ha fugado ... sin duda con los otros, los intrusos —prorrumpió Walther.

—¿Qué va a decir Hans? O más bien, ¿qué va a hacer ... conmigo? —fué lo primero que se le ocurrió decir a Gottlieb—. Necesi- 10 tamos hallarle, y pronto.

—Si quieres escucharme esta vez ...

—Ya lo sé. Seguiremos la senda, como tú quieres.

Volvieron al viejo edificio, donde se proveyeron de rifles, provisiones ligeras, y binóculos. 15

—¿Dejamos a Manuel aquí? —preguntó Gottlieb a Walther. El lugarteniente estaba tan desconcertado que se olvidaba de dar las órdenes.

—Yo opino que **no**. Los intrusos son dos, quizás aún más. Necesitamos todas nuestras fuerzas —le respondió Walther. 20

Una hora y media más tarde, cuando en el fondo del valle Hans Reichhardt daba gritos desesperados llamando a los suyos, éstos llegaban trabajosamente al puerto entre las montañas por donde Roberto y Toto habían entrado al valle. Se hallaban en medio de un bosque de pinos, el cual no les permitía ver lo que pasaba cerca 25 del antiguo templo. Delante de ellos se abría la espesura, formando un pequeño prado, y allí paciendo en la fresca hierba, había dos caballos—que no podían ser sino de los intrusos.

—¡Caramba! —exclamó Gottlieb—. ¡Tú y tus perros! Otra vez hemos seguido una pista falsa. ¿Sabes lo que quiere decir la pre- 30 sencia de estos caballos? ¡Que los intrusos están todavía en el valle! ¡Estamos frescos!

—Pero te dije que había alguien y que los ... —comenzó a balbucir el avergonzado Walther.

—Ni una palabra más —interrumpió Gottlieb—. ¡A la vuelta y 35 pronto! ¡Quién sabe si ya se nos han escapado!

De esta manera aconteció que una hora después, o sea a eso de la
una de la tarde, cuando Gottlieb y su cuadrilla llegaban al margen
del bosque, pudieron observar que en el fondo del valle, unos seiscientos metros más abajo, varios hombres y una señorita registra-
5 ban detenidamente cada matorral, cada grupo de árboles, cada
escondrijo del lugar. Por medio de los binóculos pudieron identificar al prisionero sentado delante del viejo edificio bajo los ojos
vigilantes de dos guardas. Era Hans, quien por cierto no aparecía
como el retrato viviente de la alegría o de la esperanza.
10 Tres horas hacía que esperaban Gottlieb y los suyos cuando se
les presentó la oportunidad deseada de salvar a su jefe. Los que
iban registrando los escondrijos del valle volvían uno a uno desa-
lentados en dirección de las ruinas. Al fin todos formaron un grupo.
Que discutían a dónde dirigirse se lo adivinaba por los gestos. Tam-
15 bién amenazaban a Hans, quien parecía indicar con la cabeza, ya
que con las manos atadas no podía, la abertura de las excavaciones.
Sin embargo, el ademán incrédulo de los otros mostraba muy a las
claras que no creían en lo que decía Hans, y que ya habían examinado el templo de Quetzalcoatl sin hallar a nadie. A pesar de su
20 incredulidad, se dirigieron uno tras otro al agujero, no quedando
afuera más que los dos guardas de Hans. Aún éstos subieron el
túmulo hasta llegar a la puerta, pero se detuvieron allí sin
entrar.
Sonó entonces el estampido de tres rifles. Uno de los guardas
25 cayó muerto; el otro dejó caer el arma, se llevó la mano al hombro
herido, y desapareció dentro del templo. Hans se levantó y corrió
al otro lado de las ruinas, mientras Walther bajó rápidamente la
montaña con sus perros a poner en libertad a su jefe y guardar la
entrada de las excavaciones. Gottlieb y Manuel dirigían de vez en
30 cuando una bala a la abertura de manera que nadie pudiera asomarse.
La situación había cambiado de aspecto. Los raptores de Hans
se habían convertido en cautivos. Pronto éste estuvo libre y
armado. Los dos perros se agacharon a ambos lados de la abertura.
35 Gottlieb y Manuel bajaron hasta colocarse detrás de los animales.
Así quedaban los sitiadores y los sitiados hasta la caída de la

noche. Varias veces Hans trató de parlamentar con los presos, pero ellos o no le oyeron o no hicieron caso de él.

—El hambre les hará hablar mañana —dijo el jefe, tan gozoso de verse libre que todavía no había regañado a sus ayudantes. Ellos, a decir verdad, no se habían atrevido a contarle nada de la ausencia 5 del profesor. Cuando había obscurecido completamente Hans dejó a Manuel y a Walther como guardas y se retiró con Gottlieb a la cima del montículo.

—Bueno —dijo—. Has hecho muy bien. Hasta ahora no te he apreciado bastante. Pero tu estratagema estuvo muy bien pen- 10 sada.

—Gracias, jefe.

—Supongo que tendrás al profesor atado a un árbol allá arriba —continuó Hans, señalando el bosque.

—No precisamente ... 15

—¿Le mataste? No importa. Con dinamita sacaremos el tesoro.

—Pues no le matamos tampoco. Ello es que ... que ... se nos ha escapado.

Entonces fué de ver la furia de Hans. 20

—¡Voto al diablo!—gritó, mientras comenzó a dar de bofetadas a su lugarteniente—. ¡Estúpido! ¡Imbécil! Has dejado escapar al viejo para que venga con los polizontes. ¡Dios mío! Tendré que huir; pero tú no vas a escaparte.

Sacó una navaja grande y luchó a brazo partido con Gottlieb. 25

Pero no bien hubieron comenzado cuando se oyeron tiros de revólver en la ladera del montículo. Hans cayó gravemente herido; los otros tres salieron disparados en dirección de la vereda montañosa, única salida del valle que los nuevos atacantes dejaban libre. No hay para qué añadir que Walther llevó consigo sus 30 queridos animales aunque uno de ellos también iba herido de bala.

12 Un viaje peligroso

Aquella misma noche, media hora antes de los sucesos que acabamos de narrar, el profesor Fisher y sus dos amigos seguían sentados en el margen del río subterráneo. La roca contra la cual se apoyaban exudaba gotas de agua. Se oían otras que caían del techo
5 sobre la superficie tersa de la balsa.

Los tres hombres estaban mojados hasta los huesos. Hacía mucho tiempo que no hablaban. No daban más señales de vida que la tos que emitía de vez en cuando el profesor y los quejidos ligeros de Roberto, cuando trataba de hallar una parte menos dura
10 de la roca en que apoyarse.

—Bueno —refunfuñó Toto finalmente—. Ya habrá caído la noche. Debemos prepararnos para el momento crítico. Yo opino que debemos empezar por hacer un poquito de ejercicio para entonar los músculos entorpecidos. ¡Vamos, Roberto! ¡Levanté-
15 monos! Hagamos un poco de gimnasia.

Los dos se pusieron de pie y se inclinaron varias veces hasta tocar los pies con las manos. Poco a poco el calor vital volvía a sus miembros.

—¡Basta ya! —gritó Roberto—. Estoy listo. Pero creo que
20 debemos entrar en el agua para acostumbrarnos a su temperatura. De otro modo el frío nos hará expulsar el aire de los pulmones cuando nos echemos al agua.

—A decir la verdad, no es posible que el agua me parezca fría —respondió Toto—. El hielo mismo me parecería caliente. Pero
25 tienes razón. Vamos a nadar un poco. Voy a quitarme toda la ropa excepto los pantalones y el cinturón del revólver. Además ataré los zapatos al cinturón . . . así. Y ahora, a ver si es posible nadar bien con estos impedimentos. Profesor Fisher, ¿quiere Vd. alumbrar?
30 El rayo de la linterna, aunque bastante débil, les hizo cerrar los ojos un momento, pero pronto se fueron acostumbrando a la luz. Aumentó la esperanza que todo les saliera bien en su proyecto ante el estímulo de la claridad.

Toto penetró cautelosamente en el agua. Roberto le siguió, y los dos muchachos nadaron del uno al otro lado dos o tres veces. Entonces, agarrados a unas rocas, discutían así:

—Sr. Fisher —dijo Roberto— Vd. conoce mejor que nadie el terreno. ¿Cuánto distará este lugar del centro de la fuente? 5

—Yo diría unos cincuenta o sesenta metros —contestó el viejo sabio—. Sé precisamente la medida del montículo. Cada uno de sus lados tiene setenta y tres metros, cuarenta y cinco centímetros de largo. De manera que Vds. tienen que recorrer la mitad de eso, más la distancia entre la base de la pirámide y el centro de la fuente. 10

—No es mucho. Será cosa de dos minutos bajo el agua. Vds. saben que es cosa probada que hubo un hombre que pasó veinte minutos sin respirar.

—Es verdad —opinó Toto—. La única cosa que puede echar a perder nuestro plan es que haya un paso muy estrecho en el curso 15 del río. Si ello resulta así, tendremos que volver aquí. El profesor nos alumbrará el camino. En tal caso, estaríamos en la misma situación que ahora sin haber perdido ni ganado nada.

A pesar de las últimas palabras de Toto, los tres sabían que si no diera buen resultado esta tentativa, nunca saldrían vivos del 20 pozo.

—Bueno. ¡Manos a la obra! —exclamó Roberto resueltamente—. ¿Quién va primero? Creo que yo nado un poquito mejor que tú. ¿Por qué no voy primero? Espera dos minutos antes de seguirme. 25

—Está bien. Pero, otra cosa. Ten cuidado de no hacer ruido al llegar afuera. No olvides que los alemanes estarán rondando el sitio.

—No lo olvidaré. ¡Hasta luego! —dijo Roberto. Llenó los pulmones de aire y se hundió bajo el agua, desapareciendo pronto 30 entre las murallas de piedra que formaban el curso del río.

Los dos minutos que esperó Toto le parecieron un siglo. Por fin el profesor le dió la señal de partida y siguió a su compañero. Pronto la luz de la linterna ya no le alcanzaba y tenía que seguir a tientas en una obscuridad completa. De vez en cuando chocaba 35 contra una roca saliente de la pared o del techo. Pero finalmente distinguió un poquito de claridad difusa ante sí, y unos segundos después se hallaba boqueando en la superficie de la fuente.

«¡Bendito sea este aire de Dios!» pensaba mientras respiraba fuertemente.

5 —¡Chis! —una voz sorda le advirtió.   Era Roberto que nadaba a tres metros de él.   Los dos se juntaron y Roberto le cuchicheaba a su amigo: —¿Has mirado la cima de la pirámide?

Toto se volvió.   El túmulo se destacaba contra el cielo, y allí se veían las siluetas de dos hombres.

10 —Vamos pronto —dijo Toto al oído de su amigo—.   Tenemos que secar nuestros revólveres si queremos usarlos.

Quizás los dos alemanes habrían notado la presencia de nuestros héroes si no hubiera sido por la disputa que entablaron y que antes hemos descrito.   Cuando comenzaron a luchar, Toto y Roberto ya

15 estaban en tierra con los revólveres preparados.

Aun cuando los muchachos habían tenido la intención de ir a Tenoztiplán a buscar la ayuda de la policía, ahora vieron la posibilidad de hacerse dueños de la situación inmediatamente.

—Ellos están luchando entre sí.   Será fácil hacerles creer que ha

20 llegado la policía —murmuró Toto—.   Vamos a subir un poco el montículo, y entonces ¡a ellos!

Ya sabemos que a la primera descarga de sus revólveres Hans cayó herido, y los otros huyeron aterrados.   Roberto y Toto los siguieron durante unos minutos, disparando los revólveres con

25 frecuencia para darles la impresión de una fuerza grande.   Entonces abandonaron la persecución de los fugitivos y regresaron al túmulo. Pudieron oír las quejas del herido, a quien todavía no habían reconocido.

—Primero vamos a ver a este pájaro que hemos herido —dijo

30 Toto—.   Pero ten cuidado; todavía está armado.   Ten cuidado de no dejar ver tu silueta contra el cielo.   Después buscaremos una cuerda para libertar al profesor.

Avanzaban cautelosamente, cuando sonó otro disparo, esta vez hacia la dirección de la entrada de las excavaciones.   Una bala

35 silbó por encima de sus cabezas al mismo tiempo que unos hombres salían corriendo de la abertura y rodeaban a los muchachos.

—Ríndanse —gritó una voz.

—No tires —ordenó Toto a Roberto—. Creo que reconozco esa voz. ¿Eres tú, Lupe? Somos amigos.

Momentos después todos formaban un grupo delante de la abertura, hablando a la vez. Bárbara y Lupe preguntaban dónde 5 estaba el profesor Fisher y por qué los jóvenes tenían la ropa tan mojada; otros querían saber por dónde se habían fugado los enemigos; los de más allá preguntaban si el que gemía en la cima del túmulo era amigo o enemigo.

Entonces Toto asumió el mando. Envió dos hombres por el 10 herido, recomendándoles cautela; nombró a otros tres para que siguiesen a los fugitivos por la vereda, y al último mandó buscar una reata de su caballo. Cuando los primeros volvieron transportando a Hans y el último con la reata, les dijo que salieran del valle por la garganta del arroyo. También les ordenó que rodearan 15 la montaña y que subieran al prado donde él y Roberto habían dejado los caballos. Así les cortarían el paso a los fugitivos. Vendó la herida de Hans y le ató con una parte de la reata.

Finalmente Toto, acompañado de Bárbara, Lupe y Roberto, se dirigió a la estatua de Quetzalcoatl. Prepararon la reata, formando 20 un lazo en el cabo. Entonces los jóvenes se arrodillaron a los dos lados de la estatua, teniendo cuidado de no poner el peso en la losa que estaba entre ellos. Roberto tiró de la palanca y apoyó una mano en la losa. Ésta giró sobre sus goznes invisibles, revelando a los atónitos ojos de Bárbara y Lupe un pozo negro y profundo. 25

—¡Hola! —gritó una voz ronca desde adentro.

—¡Es él! —exclamó la muchacha, dirigiendo el rayo de su linterna hacia el pozo. Arrodillándose al margen del agujero, pudo divisar el rostro de su tío. —¡Gracias a Dios! ¡Es él! —volvió a exclamar. 30

—¡Bendito sea Dios! —añadió Lupe.

Entonces Toto se tendió boca abajo en el suelo para mantener abierta la trampa con una mano mientras Lupe se encargó de la reata. Dejó caer unos tres metros dentro del pozo; luego la hizo oscilar hasta ponerla al alcance de su amo. Después Lupe, Roberto 35 y aun Bárbara se pusieron a halar.

Muy pronto vieron la cara sonriente del profesor al margen del pozo. Solamente que lo rojo de su nariz y lo ronco de su voz indicaban a las claras que tenía un fuerte catarro. ¿Habrá que añadir que al mismo tiempo vieron sus dos manos llenas de tesoros
5 arqueológicos?

13 Se realizan los sueños

Dos días más tarde el sol brillaba espléndidamente. El profesor Fisher, sentado en su jardín, recibía sus rayos benéficos. Ya estaba casi restablecido de su resfriado. Esperaba la llegada de sus jóvenes amigos, quienes debían venir a cenar con él. En la cocina
10 Bárbara revisaba los preparativos, ayudada por una nueva doméstica, la viuda del valiente indio que había perdido la vida en la refriega. Acusados de asesinato, Gottlieb, Walther y Manuel estaban encarcelados, mientras que Hans tenía veinte años de prisión en perspectiva a causa del secuestro del profesor, sin hacer
15 entrar en la cuenta otro centenar de años por crímenes anteriores.

Poco a poco iban llegando a la puerta del jardín los indios que habían ayudado a libertar al profesor. Éste saludaba cariñosamente a cada uno, y ellos a su vez se informaban respetuosamente de la salud del señor. Luego se dirigían a una mesa bajo los árboles
20 cerca de la puerta de la cocina donde Lupe hacía los honores de huésped, llenando las copas de pulque. Comenzado ya el banquete de los indios y llegados por fin Toto y Roberto, se acercó el profesor a la mesa a tomar una copa con sus valientes libertadores.

—Tengo algo que anunciarles —dijo—. Acabo de recibir un
25 telegrama de una sociedad importante de los Estados Unidos autorizándome a gastar una buena cantidad de dinero en la excavación del templo de Quetzalcoatl y de los demás túmulos de la Fuente de las Calaveras. Habrá trabajo para cinco años a lo menos. Necesito capataces leales y valientes. Los de Vds. que
30 quieran ayudarme quedan reclutados.

No es necesario decir que los fieles indios recibieron la proposición del profesor con muestras de gozo.

. . . Lupe hacía los honores de huésped . . .

En esto, Bárbara salió a saludar a los jóvenes. Su tío también se acercó y los cuatro se sentaron a charlar y a gozar de la paz del jardín hasta que la criada los llamase a cenar.

Todavía no habían tenido ocasión de discutir a fondo varios 5 aspectos de la aventura y todos tenían vivos deseos de oír los detalles de cuanto había pasado a los otros.

—No sé lo que habría sido de nosotros —dijo Bárbara— si no hubiera sido por Vds. ¿Cómo voy a darles las gracias, cuando Vds. han arriesgado la vida tantas veces por nosotros?

10   —Sí que somos unos «valientes» —respondió Roberto sonriendo—. ¡Pasamos hambre veinticuatro horas en el pozo! Pero no podemos decir que nos faltaba agua . . .

—A decir verdad —interrumpió el profesor— cuando se decidieron a salir a nado siguiendo el curso del río subterráneo y 15 cuando yo les vi desaparecer debajo del agua . . .

—Sí —continuó Bárbara—. Su excursión bajo el agua no ofrecía tanto peligro de día. ¿Por qué esperaron hasta la noche?

—¿Olvida Vd. que los alemanes estaban afuera? —respondió Toto—. Y nosotros no podíamos luchar con ellos sin secar los 20 revólveres primero. Pero yo también tengo algo que averiguar. No me explico cómo Vd., señor Fisher, llegó a caer en manos de los bandidos.

—De la manera más sencilla del mundo. Por casualidad encontré a Manuel en una calle de México. Como sabía que él 25 conocía la Fuente de las Calaveras, yo, que por mal de mis pecados tenía tantos deseos de hablar con alguien acerca de mi descubrimiento, se lo revelé todo. Él ya trabajaba con los criminales alemanes . . . Se enteró del hotel donde yo paraba, y una hora después recibí una notita de Hans Reichhardt, diciéndome que deseaba 30 tener el gusto de conocerme y de discutir conmigo algunas cuestiones arqueológicas. Quería verme aquella misma tarde, a las tres y media si me fuese posible. También decía ser representante de varias sociedades intelectuales y daba a entender que él podía conseguirme ayuda financiera para mis investigaciones. Naturalmente 35 fui a su casa, y le dije todo lo que había hecho y descubierto antes de darme cuenta de que era un ladrón. No sospeché nada hasta que

Gottlieb, Walther y Manuel entraron en la sala. Entonces el
señor Reichhardt me anunció que ellos iban a «ayudarme» y que
yo tendría que interpretarles los jeroglíficos. Como ya le había
explicado que necesitaba el gran diccionario, él mismo salió en
seguida a robarlo. Vds. saben cómo me hicieron escribir una carta 5
a Bárbara para que ésta no pasase cuidado a causa de mi ausencia.
También tuve que escribir al hotel, ya que los criminales temían
que el gerente sospechara algo en vista de mi ausencia.

—¡Gracias a Dios que tenemos amigos leales . . . y muy listos
también!—fué el comentario de Bárbara, cuya mirada buscó 10
involuntariamente la de Toto.

—Pues yo quisiera saber lo que pasó aquí en la casa —dijo
éste—. ¿Cómo cautivaron Vd. y Lupe al jefe de los alemanes?

—Bueno, ya sabe Vd. que Lupe leyó bien el significado secreto
de la pequeña estatua—la figurita que envió mi tío por medio de 15
Hans. A propósito de esto, ¿cómo arreglaste el mensaje?

—Le dije a Hans que los símbolos de la figurita eran los que
quedaban sin sentido para mí, pero que quizás Lupe pudiera inter-
pretarlos. Me llevé un susto cuando me propuso el secuestro de
Lupe también. Pero parece que se dió cuenta de que no podía 20
secuestrar a otro sin provocar una investigación inmediata.

—Después de saber por la figurita el paradero y estado de mi
tío —siguió Bárbara— Lupe y yo formulamos un plan. El señor
Reichhardt nos había dicho que iba a salir para México. Desde
aquí se puede ver un trozo de la carretera donde sale del pueblo. 25
Yo me puse de centinela mientras Lupe telefoneaba a unos amigos
entre los vaqueros de su tío de Vd. Pronto vi pasar el coche rojo
y Lupe dijo a sus amigos que la hora de la acción había llegado.
Fueron ellos quienes pusieron los clavos en la carretera y quienes se
apoderaron de Hans al oírnos llegar. Entre tanto, Lupe había ad- 30
vertido a otros vecinos, quienes nos proveyeron de los caballos y
nos acompañaron a la Fuente.

—Señor profesor —preguntó Roberto— ¿ha examinado Vd.
detenidamente el mecanismo de la trampa?

—Todavía no. Pero me figuro cómo debe ser. La losa que se ve 35
delante de la estatua no es sino la mitad de un gran pedazo de

piedra. Más bien, debe ser un poquito menos de la mitad. Los
goznes se hallan dentro de la pared, y la piedra se extiende detrás
de la estatua en un hueco. La parte que está detrás de la pared es
un poquito más pesada que la parte delantera, lo cual hace que
5 cierre automáticamente la puerta tan pronto como haya caído el
peso que se ha apoyado en la parte de afuera.

—Precisamente lo que me figuraba yo. Y el pestillo que deja
abrirse la puerta comunica con la palanca. ¡Qué sensación va Vd.
a causar entre los arqueólogos! ¡Esto va a ser estupendo! ¡Aún
10 más que los descubrimientos de Monte Albán y Chichen Itza!

—¿Yo causar sensación? No, señor—Vd. Yo soy bastante
viejo y no quiero dirigir el trabajo activo de todos los días. Naturalmente no quiero apartarme por completo de esas maravillas.
Pero el trabajo continuo, el fastidio de escribir libros y artículos, de
15 leer papeles en reuniones eruditas . . . quisiera ahorrarme todo eso.
Vd. está comenzando su carrera. ¿Por qué no se encarga de la
dirección?

—Pero, ¿me ha perdonado Vd. la equivocación entre *cachua*
y *cachúa*? —balbució Roberto.
20 —No se apure Vd. —respondió el profesor bondadosamente—.
Ahora le confieso que la primera vez que traté de interpretarlo, creí
que era *cachuá, nacer.* Ya ves, Roberto, si permites que un viejo te
trate con intimidad, ya ves que todo el mundo puede equivocarse
en la interpretación de la escritura azteca. Pero con tu inteligencia
25 y buena voluntad irás lejos.

Roberto se ruborizó y murmuró: —Gracias—. Los cielos se
abrían para él. ¡Trabajo interesantísimo, descubrimientos, fama —
todo se le ofrecía!

—Pero ya se asoma la criada para llamarnos. Vamos a comer
30 —sugirió el profesor—. Es decir, si esos tórtolos tienen apetito.

Los aludidos, Bárbara y Toto, sonrieron muy complacidos. Y
los cuatro se dirigieron hacia la casa, formando dos parejas, una
de las cuales hablaba de arqueología mientras la otra charlaba de
cosas insignificantes para nosotros pero llenas de una significación
35 profunda para ellos.

FIN

Ejercicios

1–a

(Desde el principio del capítulo 1 hasta la página 3, renglón 7.)

Cuestionario

1. ¿Quién es Roberto Blakesly? 2. ¿Para qué vino a México? 3. ¿Por qué está descorazonado? 4. ¿Cómo era el hombre que entró en la biblioteca? 5. ¿Le había visto Roberto antes? 6. ¿Qué hizo el alemán durante su estancia en la biblioteca? 7. ¿Por qué le siguió Roberto? 8. ¿Por qué dice Roberto que su estreno como detective ha fracasado? 9. ¿Por qué le llamó la atención cierto automóvil? 10. ¿De quién busca informes sobre el coche? 11. Según lo que cree Roberto, ¿quién sería uno de los ocupantes del coche?

Temas orales o escritos

Cuente Vd. en sus propias palabras:
1. Lo que pensaba Roberto acerca de su trabajo.
2. Por qué el alemán le parecía sospechoso a Roberto.
3. Todo lo que Roberto vió en la calle al salir de la biblioteca.

1–b

(Desde la página 3, renglón 8, hasta el fin del capítulo 1.)

Cuestionario

1. ¿Qué hora era? 2. ¿Por qué tenía Roberto que dejar su trabajo? 3. ¿Por qué llegó tarde a la cita? 4. ¿Por qué se detuvo delante de los almacenes de muebles? 5. ¿Es verdad que los norteamericanos son siempre puntuales? 6. ¿Dónde encontró a Toto? 7. ¿Cómo se saludan los jóvenes? 8. ¿Quién es Toto? 9. ¿Qué trabajo hace? 10. ¿Por qué le pronostica Roberto mucho éxito en la vida? 11. ¿Tiene Toto un sueldo grande? 12. Describa Vd. los tres hombres que le llaman la atención a Toto. 13. ¿Qué cuenta Roberto a su amigo acerca de uno de los hombres? 14. ¿Dónde ven a los tres hombres después de su salida del café? 15. ¿Cómo sorprende Toto a Roberto?

66 *Ejercicios*

Temas orales o escritos

Cuente Vd. en un párrafo largo:
1. Lo que Roberto vió en la calle en el trayecto entre la biblioteca y el café.
2. La conversación de los muchachos sobre sus ocupaciones.
3. Lo que pasó después que Toto notó la presencia de los tres hombres.

2-a

(Desde el principio del capítulo 2 hasta la página 9, renglón 2.)

Cuestionario

1. ¿Por qué conoce Toto bien la hacienda cerca de Tenoztiplán? 2. ¿Por qué no va mucha gente a Tenoztiplán en automóvil? 3. ¿Cuál es el negocio principal del garage local? 4. Según Roberto, ¿qué ventaja resultaría de un buen camino? 5. ¿Por qué no quiere don Eusebio una carretera pavimentada? 6. ¿Qué ideas les darían los turistas a los campesinos? 7. ¿Le gusta a Toto el sistema de gobierno representado por su tío? 8. ¿Cómo disculpa a su tío? 9. Según don Eusebio, ¿hizo bien Toto al irse a estudiar en los Estados Unidos? 10. ¿Cómo habría hecho mejor? 11. ¿Cuántas carreteras salen de Tenoztiplán? 12. ¿Por qué van los arqueólogos a visitar el pueblo? 13. ¿Qué es un «túmulo»? 14. ¿Por qué quiere Toto dejar el café?

Temas orales o escritos

1. Describa Vd. la actitud de don Eusebio hacia los indios.
2. Contraste Vd. la actitud de Toto con la de su tío.

2-b

(Desde la página 9, renglón 3, hasta el fin del capítulo 2.)

Cuestionario

1. ¿Por qué no se han investigado completamente las ruinas de la Fuente de las Calaveras? 2. ¿De dónde viene el nombre del sitio? 3. ¿Por qué creen algunos que era un cementerio indio? 4. ¿Qué tradiciones siempre existen acerca de las ruinas indias? 5. ¿Quién ha principiado la exploración de los montículos? 6. ¿Por qué vino a México? 7. ¿Por qué compró una casa en Tenoztiplán? 8. ¿Quiénes viven con él? 9. ¿Por qué dice Roberto que nunca verá el pueblo? 10. Según Toto, ¿es Roberto realmente un Tenorio? 11. ¿Cómo le prueba Toto que no teme su competencia? 12. ¿Por qué no puede Roberto prestar atención a la película? 13. ¿Con qué sueña aquella noche?

Temas orales o escritos
1. Una descripción de la Fuente de las Calaveras.
2. El profesor Fisher y su vida en Tenoztiplán.

3-a

(Desde el principio del capítulo 3 hasta la página 13, renglón 13.)

Cuestionario
1. ¿Cómo pasó Roberto los días de la semana siguiente. 2. ¿Las noches? 3. ¿Qué le dijo el profesor Jiménez acerca de la Fuente de las Calaveras? 4. ¿Qué clase de ropa llevan en la hacienda? 5. ¿Tendrá Roberto que proveerse de ropa? 6. ¿Le caerá bien el traje de Toto? 7. ¿Cómo aprendió Roberto a montar? 8. ¿Qué lleva Toto en las alforjas? 9. ¿Para qué lo lleva? 10. ¿Cómo es la tierra de Tenoztiplán? 11. ¿Cuándo van a salir los jóvenes? 12. ¿Llegaron a tiempo a la Plaza de los Mártires? 13. ¿Quiénes tenían que viajar al exterior del autobús? 14. ¿Cómo se mantenían allí? 15. ¿Por qué les gusta viajar así?

Temas orales o escritos
1. Los preparativos para el viaje.
2. Algunos de los placeres de la vida del hacendado.

3-b

(Desde la página 13, renglón 14, hasta el fin del capítulo 3.)

Cuestionario
1. ¿Cómo era la carretera que seguía el autobús? 2. ¿Quiénes eran los demás pasajeros? 3. ¿Por qué llevaban bultos? 4. ¿Por qué no les importaba no haber vendido sus productos? 5. ¿Cómo era la primera vista que obtuvieron los jóvenes del valle de Tenoztiplán? 6. ¿Cómo aparecía el pueblo desde lejos? 7. ¿Qué señalaba Toto a Roberto? 8. ¿Por qué no veían la hacienda de don Eusebio? 9. ¿Dónde se para el autobús? 10. ¿Qué tienen que hacer los jóvenes antes de ver la hacienda? 11. ¿Cuál es la primera impresión que recibe Roberto del edificio? 12. ¿Cuántas cosas caben bajo un solo techo? 13. ¿Quiénes construyeron el edificio? 14. ¿Para qué? 15. ¿Por qué podrían creer los de la hacienda que los jóvenes no iban a comer allí?

Temas orales o escritos
1. El viaje en autobús.
2. La hacienda de don Eusebio.

4-a

(Desde el principio del capítulo 4 hasta la página 19, renglón 10.)

Cuestionario
1. ¿Cuándo ocurren los sucesos de este capítulo? 2. ¿Qué había en el mercado del pueblo? 3. ¿Cómo llegan Roberto y Toto al pueblo? 4. ¿Cómo están vestidos? 5. ¿Se detienen en la plaza? 6. ¿Por dónde se dirigen? 7. ¿Qué se podía ver a través de la reja de la puerta? 8. ¿Cómo sabe Roberto que han llegado a casa de Bárbara? 9. ¿Con quiénes compara Roberto a Bárbara y Toto? 10. ¿Quién es la primera persona que ven dentro del jardín? 11. ¿Cómo es? 12. ¿Qué expresión se ve en la cara de Lupe cuando Toto pregunta por el profesor? 13. ¿Por qué le extraña que Toto pregunte por él? 14. ¿Adónde se fué el profesor? 15. ¿Cuándo? 16. ¿Cuánto tiempo hace que está ausente? 17. ¿Sería natural que el profesor no visitase a Toto? 18. ¿Qué quería ver el profesor en México? 19. ¿Dónde habían hecho el descubrimiento? 20. ¿Qué había en las paredes del templo? 21. ¿Por qué creía el profesor que esos jeroglíficos tenían una importancia especial?

Temas orales o escritos
1. Un mercado mexicano.
2. La casa del profesor.
3. El descubrimiento y sus resultados.

4-b

(Desde la página 19, renglón 11, hasta el fin del capítulo 4.)

Cuestionario
1. ¿A qué biblioteca pensaba ir el profesor? 2. ¿Por qué se extraña Roberto de no haberle visto? 3. ¿Cuántas personas se habían acercado al diccionario? 4. ¿Cómo se explica Toto que su amigo no ha visto al profesor? 5. ¿Dónde está Bárbara entretanto? 6. ¿Por qué empieza Toto a alejarse de los otros? 7. ¿Por qué no se va? 8. ¿Qué impresión le hizo Bárbara a Roberto? 9. ¿Cómo se comporta Roberto en presencia de una mujer? 10. ¿Qué sabe Bárbara acerca de Roberto? 11. ¿Cómo lo sabe? 12. ¿Qué tenía Bárbara entre las manos? 13. ¿Por qué se excusa el profesor con respecto a Toto? 14. ¿Cuánto tardará el profesor en volver a casa? 15. ¿Qué va a hacer Bárbara para los jóvenes? 16. ¿Por qué? 17. Mientras Bárbara está en la cocina, ¿qué hacen los hombres? 18. ¿Qué

hacen cuando ella vuelve a entrar? 19. ¿Qué ven los jóvenes en el garage de Tenoztiplán al volver de su visita?

Temas orales o escritos
1. Todo lo que sabemos acerca de Bárbara Fisher.
2. Un resumen de lo que sabemos sobre la ausencia del profesor.

5-a

(Desde el principio del capítulo 5 hasta la página 23, renglón 13.)

Cuestionario
1. ¿Cuál es la primera pregunta que hace Toto al dueño del garage? 2. ¿Por qué se la hace? 3. ¿De quién es el coche? 4. ¿Para qué fin vienen muchos señores al pueblo? 5. ¿Quién sirve de guía a los señores del coche? 6. ¿Había olvidado Toto a Manuel? 7. ¿Por qué no se dirige Toto a casa? 8. ¿Cuál era el primer suceso misterioso según Toto? 9. ¿Según Roberto? 10. ¿Qué habrá ocurrido el mismo día de la llegada del profesor a la capital? 11. ¿Cree Roberto que estos dos hechos están relacionados? 12. ¿Cómo tienen que pensar los detectives? 13. ¿Cuál es el tercer hecho de la serie lógica? 14. ¿Qué otra prueba acaba Toto de descubrir en su conversación con el dueño del garage? 15. ¿Cómo explica Toto lo que escribió el señor Fisher en su carta? 16. ¿Qué obstáculo halla Roberto a la explicación de Toto? 17. Según Toto, ¿cuál era la parte esencial de la carta desde el punto de vista de los que la dictaron? 18. ¿Por qué han secuestrado al profesor? 19. ¿Qué le permitieron decir en el resto de la carta? 20. ¿Cómo se aprovechó él de esta oportunidad? 21. ¿Ha notado Roberto cosas sospechosas en lo escrito?

Temas orales o escritos
1. La conversación en el garage.
2. La concatenación de sucesos que le hacen creer a Toto que el profesor está preso.

5-b

(Desde la página 23, renglón 14, hasta el fin del capítulo 5.)

Cuestionario
1. Según Roberto, ¿qué ha dicho el profesor en el resto de la carta? 2. ¿Cómo deduce Toto de la carta que el profesor está preso? 3. Según los informes de la carta, ¿dónde estará? 4. ¿Hasta dónde han llegado los

muchachos mientras hablan de la desaparición del profesor? 5. ¿Cómo era la senda que siguieron? 6. ¿Se da Roberto por convencido después de oír los razonamientos de Toto? 7. ¿Qué promete Toto a Roberto? 8. ¿Cuántc tiempo siguieron la senda? 9. Describa Vd. la primera vista que tuvieron de la Fuente de las Calaveras y de sus alrededores. 10. ¿Qué evidencia hallan de la presencia de los criminales en el lugar antes de ver al guarda? 11. ¿Cómo explica Roberto la presencia de la barrera y del guardián? 12. ¿De qué está acompañado el guardián? 13. ¿Qué les dijo a los muchachos? 14. ¿Quién era el guardián? 15. ¿Le obedecen los jóvenes?

Temas orales o escritos
1. Lo que Toto deduce de dos frases de la carta.
2. Una descripción del arroyo y de su fuente.
3. La acogida de los jóvenes al llegar a la barrera.

6–a

(Desde el principio del capítulo 6 hasta la página 28, renglón 14.)

Cuestionario
1. ¿Dónde están los muchachos al principiar el capítulo? 2. ¿Qué pueden ver que indica la presencia de hombres en el valle? 3. ¿Qué han hecho durante la tarde? 4. ¿Dónde dejaron los caballos? 5. ¿Qué cuenta Toto hallar además del profesor? 6. ¿Cree que los alemanes maten al profesor? 7. ¿Tienen los jóvenes armas con que defenderse? 8. ¿Cuántos enemigos hay? 9. ¿Por qué no hay barrera en este lado del valle? 10. ¿Dónde ven los reflejos de las estrellas? 11. ¿Por qué se deciden a subir el montículo? 12. ¿Cómo es la cima del túmulo? 13. Describa Vd. el edificio en donde se halla la luz. 14. ¿Cerca de qué pasan los muchachos al acercarse al edificio? 15. Describa Vd. al hombre que Roberto ve dentro del edificio. 16. ¿Qué hace el hombre? 17. Ya que los jóvenes han descubierto al profesor, ¿cómo van a libertarle?

Temas orales o escritos
1. Cómo los jóvenes llegaron al valle.
2. Lo que ven desde el túmulo.

6–b

(Desde la página 28, renglón 15, hasta el fin del capítulo 6.)

Cuestionario
1. ¿Por cuánto tiempo observaron los jóvenes el campamento enemigo?

2. ¿Vieron a otra persona más que el profesor? 3. ¿Quiénes salieron del edificio cuando se abrió la puerta? 4. ¿Qué advertencias da el jefe a los suyos? 5. ¿Qué van a hacer los cómplices? 6. Mientras tanto ¿qué debe hacer Hans? 7. ¿Por qué están los jóvenes en una situación peligrosa? 8. Según lo que dice Hans a Manuel, ¿a dónde va a dirigirse? 9. ¿Qué pueden hacer Toto y Roberto en este caso? 10. Si se apoderan de Hans, ¿podrán salvar al profesor? 11. Por fin ¿se deciden a atacar o a retirarse? 12. ¿Qué escondrijo hallan? 13. ¿Por qué tiene Roberto muchos deseos de encender una luz? 14. ¿Cómo era la galería subterránea? 15. ¿Qué significaban los jeroglíficos? 16. ¿Qué dicen los jeroglíficos que explica el interés de los criminales por el descubrimiento? 17. ¿Qué halla Toto cuando se adelanta a explorar la galería? 18. ¿Qué ve cuando se vuelve hacia su compañero? 19. ¿Por qué no matan inmediatamente al perro? 20. ¿Qué les hace hacer éste?

Temas orales o escritos

1. Lo que pasa desde el momento en que los jóvenes ven al profesor hasta que se retiran dentro de las excavaciones.
2. Lo que hay dentro de la galería.

7-a

(Desde el principio del capítulo 7 hasta la página 32, renglón 33.)

Cuestionario

1. ¿Dónde estaba el profesor Fisher? 2. ¿Qué parecía hacer? 3. ¿Había otra persona en la pieza? 4. ¿Sabía el profesor el verdadero significado de las inscripciones? 5. ¿Por qué no quiere traducirlas para sus secuestradores? 6. ¿En qué pensaba el profesor aquella noche? 7. ¿Por qué no deseaba dirigirse a su sobrina? 8. ¿Por qué es tan difícil enviar un mensaje? 9. ¿Quiénes eran los tres hombres que entraron en el edificio? 10. ¿Cómo estaba vestido el último? 11. ¿Por qué está Walther muy perturbado? 12. ¿Por qué tiene mucha fama? 13. ¿Cuáles son las órdenes que da Hans?

Temas orales o escritos

1. El problema del profesor Fisher.
2. Las causas de la perturbación de **Walther.**

7-b

(Desde la página 32, renglón 34, hasta el fin del capítulo 7.)

Cuestionario

1. ¿Con qué amenazó Hans al profesor Fisher? 2. ¿Por qué sonrió el

profesor a pesar de estas palabras? 3. ¿Qué miraba mientras sonreía? 4. ¿Por qué comenzó a ladrar el segundo perro? 5. ¿Hacia dónde se dirigió? 6. ¿Por qué cree Hans que los perros han entrado en la galería? 7. ¿Qué piensa hacer con los intrusos? 8. ¿Cuáles son las órdenes que da con respecto al profesor? 9. ¿Se había engañado Hans acerca del paradero de los perros? 10. ¿Dónde hallan los perros? 11. ¿Cómo era la estatua de Quetzalcoatl? 12. ¿Dónde estaban los jóvenes? 13. ¿Por qué da Hans golpes en el pecho de Quetzalcoatl? 14. ¿Qué otra amenaza echa Hans contra el profesor?

Temas orales o escritos
1. Las amenazas de Hans.
2. Una descripción del interior del templo subterráneo.

8-a

(Desde el principio del capítulo 8 hasta la página 37, renglón 29.)

Cuestionario
1. ¿Cuándo toman lugar los sucesos de este capítulo? 2. ¿Dónde? 3. ¿Cómo era el día? 4. ¿Por qué estaba nerviosa Bárbara? 5. ¿Qué le dice Lupe acerca de las sospechas de Toto? 6. En esto, ¿quién apareció en la puerta del jardín? 7. ¿Qué se ve detrás de él? 8. ¿Cómo se llama el señor? 9. ¿Qué era su profesión según lo que dice? 10. ¿Qué saca del bolsillo? 11. ¿Qué dice del profesor Fisher? 12. ¿Por qué hay un cambio en la actitud de Bárbara? 13. ¿Qué recado envía a su tío? 14. ¿Son difíciles los jeroglíficos de la figura? 15. ¿Parece la inscripción cosa de importancia?

Temas orales o escritos
1. La conversación entre Bárbara y Lupe.
2. La visita del extranjero.

8-b

(Desde la página 37, renglón 30, hasta el fin del capítulo 8.)

Cuestionario
1. ¿Qué hace Hans cuando oye el significado de la inscripción? 2. ¿Hay una nota falsa en su risa? 3. ¿Qué ofrece a Lupe? 4. ¿A quién ve Lupe desde la puerta? 5. ¿Cómo indica el recién venido que quiere hablar con Lupe? 6. ¿Qué pregunta aquél? 7. ¿Se han inquietado los de la hacienda

acerca de la desaparición de los jóvenes? 8. ¿Cómo la explica el Sr. Martín?
9. ¿Qué quisiera tener él? 10. ¿Cree Lupe que el Sr. Martín haya explicado
bien la ausencia de los jóvenes? 11. Según Lupe, ¿dónde estará Toto?
12. ¿Cómo sabe el paradero del profesor? 13. ¿Eran realmente difíciles
los jeroglíficos de la figura? 14. ¿Por qué fingió Lupe obstáculos? 15. ¿Cuál
era la parte importante del mensaje? 16. ¿Cómo sabía el profesor que Lupe
comprendería que el recado era de él? 17. ¿Por qué no quiere Bárbara
llamar a la policía?

Temas orales o escritos
1. La visita del Sr. Martín.
2. El verdadero significado de la figura de barro.

9–a

(Desde el principio del capítulo 9 hasta la página 43, renglón 8.)

Cuestionario
1. ¿Por qué le permiten al profesor cierta libertad? 2. ¿Por qué será su
última visita a su descubrimiento si no acierta en sus interpretaciones
inmediatamente? 3. ¿Cómo sabe que hay una cámara secreta? 4. ¿Cree
el profesor que la sala central sea el lugar de los tesoros y de los sacrificios?
5. ¿Por qué examina cuidadosamente la juntura de las piedras? 6. ¿Por
qué sería imposible que la estatua formase una puerta? 7. ¿Por qué fueron
a su muerte con gozo las víctimas de Quetzalcoatl? 8. ¿Qué busca el profesor en el suelo? 9. ¿Qué ve bajo los pies salientes de la estatua? 10. Describa Vd. lo que resultó cuando el profesor tiró de la palanca. 11. ¿Dónde
se halló el profesor entonces? 12. ¿Por qué tenía miedo? 13. ¿Qué idea se
le ocurrió que le quitó el temor? 14. ¿Qué es un cenote? 15. ¿De dónde
venía el rayo de luz que alumbró al profesor? 16. ¿Quién vino a su ayuda?

Temas orales o escritos
1. Las nuevas exploraciones del Sr. Fisher.
2. La trampa y el cenote.

9–b

(Desde la página 43, renglón 9, hasta el fin del capítulo 9.)

Cuestionario
1. ¿Cómo se saludan Roberto y el profesor? 2. ¿Qué objetos han hallado
los jóvenes en el pozo? 3. ¿Cómo cayeron los jóvenes al cenote? 4. ¿Qué

error hizo Roberto en su traducción? 5. ¿Habían hallado los jóvenes algc más que obras de arte? 6. ¿Qué querían discutir los arqueólogos? 7. ¿Por qué tenía Toto que hacerles volver a la realidad de la situación? 8. ¿Qué ve el profesor cuando Toto proyecta la luz de la linterna en el agua? 9. ¿Dónde saldrá el agua a la superficie de la tierra? 10. Cuando Toto ve el pequeño resplandor de luz debajo del agua, ¿en qué piensa?

Temas orales o escritos
1. Una descripción del pozo y de lo que contiene.
2. Las diferentes reacciones de Toto y Roberto ante las dificultades de la situación.

10-a

(Desde el principio del capítulo 10 hasta la página 47, renglón 26.)

Cuestionario
1. ¿En qué día toman lugar los sucesos de este capítulo? 2. ¿A qué hora comienzan? 3. ¿Qué tiempo hace? 4. ¿Dónde se encuentra Hans Reichhardt? 5. ¿A dónde se dirige? 6. ¿Qué expresión tiene en su cara? 7. ¿Por qué no ha podido terminar su trabajo? 8. ¿Cómo piensa desenterrar el tesoro sin la ayuda del profesor? 9. ¿Por qué se le borró a Hans la sonrisa? 10. ¿Cuál era la causa del pinchazo? 11. ¿Quién se ofreció a ayudarle? 12. ¿Por qué resultaba difícil el trabajo? 13. ¿Qué hicieron los indios al oír el ruido de un motor? 14. ¿Quiénes había dentro del segundo coche? 15. ¿Qué le preguntan éstos a Hans? 16. ¿Cómo finge Hans inocencia? 17. Si no habla, ¿qué van a hacer Bárbara y Lupe con él?

Temas orales o escritos
1. Los proyectos de Hans.
2. El pinchazo y sus resultados.

10-b

(Desde la página 47, renglón 27, hasta el fin del capítulo 10.)

Cuestionario
1. ¿Por qué no vieron a Hans los curiosos de Tenoztiplán? 2. ¿Sigue Bárbara el camino de su casa? 3. ¿Qué hallan en el lugar donde dejan el coche? 4. ¿A dónde se dirige todo el mundo? 5. ¿Por qué? 6. ¿Qué tendrán que hacer si no está allí el profesor? 7. ¿Cómo harán hablar al

alemán? 8. ¿Qué precaución toman para no dejarse sorprender por los criminales? 9. Entonces, ¿qué confiesa Hans con respecto al profesor? 10. Según lo que dice, ¿por qué no ha anunciado el señor Fisher su vuelta? 11. ¿Por qué es peligroso que el grupo se acerque a las excavaciones sin anunciar su llegada? 12. Mientras Hans hable con los guardianes, ¿qué hará Lupe? 13. ¿Por qué lo hará? 14. ¿Tiene Hans la intención de libertar al profesor? 15. ¿Cómo hará prisioneros a Bárbara y a los que la acompañan? 16. ¿Por qué no pudo Hans realizar su proyecto? 17. ¿Por qué le parece sospechosa la ausencia de sus cómplices?

Temas orales o escritos
1. El viaje de Bárbara desde el Mercedes-Benz hasta la Fuente de las Calaveras.
2. Los nuevos proyectos de Hans.

11–a

(Desde el principio del capítulo 11 hasta la página 53, renglón 6.)

Cuestionario
1. ¿En qué día y a qué hora comienza este capítulo? 2. ¿Qué hacían los personajes principales de la historia a aquella hora? 3. Mientras tanto, ¿qué hacía Manuel? 4. ¿Gottlieb? 5. ¿Walther? 6. ¿Por qué quería Walther vindicar a los perros? 7. ¿Se fiaba de ellos? 8. ¿Dónde hallaron los perros la evidencia que buscaba Walther? 9. ¿En que consistía? 10. Mientras Gottlieb examina las huellas, ¿qué hace Manuel? 11. ¿Cómo termina su busca? 12. ¿Por dónde habrán podido escaparse los intrusos? 13. ¿Dónde deben estar los intrusos, según las indicaciones de los perros? 14. ¿Qué ha dicho Hans que confirma estas indicaciones? 15. ¿Por qué no quiere Walther hacer una correría del valle con los perros? 16. ¿Qué hacen Gottlieb y Walther cuando Manuel les anuncia que no puede hallar al profesor?

Temas orales o escritos
1. La busca de Walther.
2. Lo que hace Manuel en esta parte del capítulo.

11–b

(Desde la página 53, renglón 7, hasta el fin del capítulo 11.)

Cuestionario
1. ¿Cómo explica Walther la ausencia del profesor? 2. ¿Qué se deciden

a hacer los criminales? 3. ¿Qué buscan en el viejo edificio? 4. ¿Por qué no dejan a Manuel en el valle? 5. ¿Dónde estaban cuando Hans les llamaba? 6. ¿Por qué no podían ver lo que ocurría en el fondo del valle? 7. ¿Cómo saben que han seguido una pista falsa? 8. ¿A dónde se dirigen cuando se dan cuenta de su error? 9. ¿Qué ven en el valle al salir de entre los árboles? 10. ¿A quién reconocen por medio de los binóculos? 11. ¿Cómo se les presenta una oportunidad de librar a Hans? 12. ¿Dónde se ponen los guardas de Hans? 13. ¿Qué les pasa a los guardas cuando los tres criminales disparan sus rifles? 14. ¿Qué nuevo aspecto tomó la situación? 15. ¿Dónde se pusieron los perros? 16. ¡Hasta cuándo quedó todo el mundo así? 17. ¿Qué pasó cuando Hans trató de parlamentar con los presos? 18. ¿A dónde se retiran Hans y Gottlieb después de caída la noche? 19. ¿Cree Hans que el profesor haya desaparecido? 20. Cuando oye que el señor Fisher se ha escapado, ¿qué dice que tendrá que hacer? 21. ¿Qué va a hacer antes con Gottlieb? 22. Mientras luchan los dos, ¿qué otro ruido se oye? 23. ¿Qué le pasa a Hans? 24. ¿Qué hacen los otros criminales?

Temas orales o escritos

1. Cómo Gottlieb y los suyos hicieron prisioneros a los recién llegados.
2. La lucha entre Hans y Gottlieb: su causa, la lucha misma y sus resultados.

12-a

(Desde el principio del capítulo 12 hasta la página 58, renglón 4.)

Cuestionario

1. ¿Cuándo principia este capítulo con relación a los acontecimientos del capítulo anterior? 2. ¿Cuál es la escena de la primera parte del capítulo? 3. ¿Por qué no están bien el profesor y sus amigos? 4. ¿Estaban muy animados? 5. ¿Para qué quiere Toto que hagan un poco de ejercicio? 6. ¿Qué ejercicio hacen? 7. ¿Con qué resultado? 8. ¿Qué otra precaución quiere tomar Roberto? 9. ¿Por qué no le parecerá fría el agua a Toto? 10. ¿Cómo se prepara Toto para nadar? 11. ¿Cuánto dista el lugar donde se hallan los jóvenes de la balsa de la fuente? 12. ¿Cuánto tiempo tendrán que nadar debajo del agua? 13. ¿Qué podría estorbar su plan? 14. Si tienen que volver, ¿estarán realmente en la misma situación? 15. ¿Qué no debe hacer Roberto al llegar afuera? 16. ¿Por qué chocaba Toto contra las rocas de las paredes y del techo? 17. Por fin ¿qué ve delante de sí? 18. ¿Qué exclama al llegar a la superficie?

Ejercicios 77

Temas orales o escritos
1. Los preparativos para el viaje.
2. Los peligros del viaje y los de no hacerlo.

12-b

(Desde la página 58, renglón 5. hasta el fin del capítulo **12.**)

Cuestionario
1. ¿Cuál era la primera cosa que oyó Toto al llegar a la superficie de la balsa? 2. ¿Por qué le dirigió Roberto la atención a la pirámide? 3. ¿Qué tenían que hacer los jóvenes para poder defenderse? 4. ¿Qué intención habían tenido al salir del pozo? 5. ¿Qué oportunidad se les presentó de improviso? 6. ¿Qué van a hacerles creer a los criminales? 7. Describa Vd. la lucha entre los jóvenes y los criminales. 8. ¿Quiénes atacan a los muchachos después? 9. ¿Qué quieren saber Lupe y Bárbara? 10. Haga Vd. un resumen de las órdenes que da Toto a los indios. 11. Luego ¿a dónde va Toto con sus compañeros? 12. ¿Cómo abren la trampa? 13. ¿Qué hace Bárbara al oír la voz de su tío? 14. ¿Qué hace Lupe con la reata? 15. ¿Cómo saben que el profesor tiene un resfriado? 16. ¿Qué llevaba éste en las manos?

Temas orales o escritos
1. Las disposiciones de Toto para atrapar a los criminales.
2. Cómo sacaron al profesor del cenote.

13-a

(Desde el principio del capítulo 13 hasta la página 63, renglón 11.)

Cuestionario
1. ¿Por qué estaba sentado al sol el señor Fisher? 2. ¿Qué hacía Bárbara en la cocina? 3. ¿Para qué iban a venir a la casa los jóvenes? 4. ¿Quién era la nueva criada? 5. ¿Dónde estaban los criminales? 6. Describa Vd. la llegada de los indios y la mesa que estaba preparada para ellos. 7. ¿Qué anuncio importante hace el profesor? 8. ¿Cómo recompensa a sus valientes libertadores? 9. ¿Dónde se sientan el profesor, su sobrina y sus huéspedes? 10. ¿Qué tienen que discutir? 11. ¿Qué prueba de valor han hecho los jóvenes, según Roberto? 12. ¿Por qué esperaron los muchachos hasta la noche antes de hacer su viaje subterráneo? 13. ¿Por qué fué el profesor a visitar a Hans Reichhardt? 14. ¿Cómo se había enterado Hans del descubrimiento del profesor? 15. ¿Cuándo comenzó el profesor a

sospechar que Hans fuese un criminal? 16. ¿A quién tenía que escribir el profesor además que a su sobrina? 17. ¿Para qué?

Temas orales o escritos
1. La reunión de los indios.
2. Cómo el profesor Fisher fué raptado por los alemanes.

13-b

(Desde la página 63, renglón 12, hasta el fin del capítulo 13.)

Cuestionario
1. ¿Cómo persuadió el profesor a Hans que llevara la figurita de barro a Lupe? 2. ¿Qué había dicho Hans que les ayudó a Lupe y a Bárbara en su plan? 3. ¿Cómo pudieron averiguar que Hans no mentía? 4. ¿Por qué telefoneó Lupe a sus amigos de la hacienda de don Eusebio? 5. Haga Vd. un dibujo del mecanismo de la trampa, indicando en español las diversas partes. 6. Nombre Vd. dos sitios arqueológicos de México de suma importancia. 7. ¿Por qué no quiere el profesor Fisher encargarse de la dirección activa de las excavaciones? 8. ¿Qué dice el profesor acerca de la interpretación de los jeroglíficos aztecas? 9. ¿Había hecho errores él mismo? 10. ¿Qué porvenir pronostica el profesor para Roberto? 11. ¿Se han realizado los sueños del joven norteamericano? 12. ¿Se han realizado los de Toto?

Temas orales o escritos
1. Un resumen de todo lo que pasó a Bárbara y a Lupe después de la visita de Hans Reichhardt hasta que éste quedó preso.
2. El mecanismo de la trampa.
3. Los sueños dorados de Roberto.

Vocabulary

Unless otherwise indicated, nouns ending in *o* are masculine and nouns ending in *a* or *ción* are feminine. Most subject and object pronouns, demonstratives, possessives, and articles have been omitted.

a to; at; on; — caballo on horseback; — la mesa at the table; al (salir) on (leaving); al sol in the sun; — la sombra in the shade; — la una at one o'clock

abajo down; below; **boca** — face down; **más** — lower

abandonar to abandon, leave; **to** give up

abertura opening, hole

abierto *p.p. of* abrir

abismo abyss

abofetear to slap, strike

abrir to open; —**se** to open (out)

absolutamente absolutely

absoluto absolute

absorto rapt, amazed

abundancia abundance

aburrir to bore; —**se** to become bored

acá here; **por** — in this vicinity, around here

acabar to end, finish; — de + *inf.* to have just . . . (*in pres. and impf. tenses*)

academia academy

académico academic; impractical

acampar to camp

acaso perhaps; perchance

acceso access

acción action

acechar to lie in ambush, besiege secretly

acento accent

aceptar to accept

acera sidewalk

acerca de about, concerning

acercar to bring near, pull towards; —**se (a)** to approach

acero steel

acertar (ie) to guess right, hit the mark; to succeed

acierto success; bull's-eye

acogida reception

acompañar to accompany, go with

aconsejar to advise

acontecer to happen

acontecimiento happening, event

acordarse (ue) **de** to remember

acostado lying down

acostarse (ue) to go to bed

acostumbrar(se) to accustom (oneself)

acotado no trespassing

actitud *f.* attitude; expression

activo active

actor *m.* actor

actual present-day, up-to-date

actuar to act

acudir to go to, be present at

acuerdo agreement, accord; **de** — **con** in accordance with; **estar de** — to be in agreement; to agree

acusar to accuse

adelantarse to advance, go ahead; — (a uno) to arrive ahead (of someone)

ademán *m.* attitude

además besides, moreover; — **de,** —**que** besides

adentro inside, within

adiós good-by; (*familiar*) it's all up (with us)

adivinar to guess, divine

admirar to admire

admitir to admit

adornar to adorn, ornament

adorno ornament; jewelry

adrede on purpose
adversario adversary
advertencia warning, notice
advertir (ie, i) to warn, advise, notify; to tell; to point out
afectuosamente affectionately, warmly
aficionado fond
afuera outside
agacharse to squat, stoop down, crouch
agarrar to seize, grasp; to cling; agarrado clinging
agente m. agent; — de policía policeman
agradable pleasant, agreeable
agregar to add
agricultura agriculture
agua water
aguardar to wait
agüero omen, augury
aguja needle; hand (of clock)
agujero hole
ah ah
ahí here; there; de — from this fact
ahogar to stifle
ahora now; — mismo right now
ahorrar to save; to spare
aire m. air
ajá aha
ajeno belonging to someone else, another's
alabar to praise
alambrado (wire) fence
alambre m. wire; — de púas barbed wire
alargar to stretch out, reach out
alarma alarm
alarmar to alarm
alborotar to upset
alcance m. reach; al — de within reach of
alcanzar to attain, reach
aldaba door knocker; pl. "pull," influence
aldea village
alegremente happily
alegría joy
alejarse to draw away, withdraw, retire
alemán, alemana German
alerta adv. alert

alfombra carpet
alforja saddlebag
algo pron. something; adv. somewhat; en — in some way
alguien somebody, someone
algún, alguno some; one; pl. a few, some; (used after noun) at all; none
aliento breath
alimento food
alma soul
almacén m. store, department store
alrededor m. pl. surroundings; — de around; about
altar m. altar
alterar to change
alto high; tall; loud; lo — the upper part, the top, the roof
altura altitude; height
aludir to allude; el aludido the one alluded to
alumbrar to light, illuminate; to turn on the light
allá there; los de más — others; más — farther; por — around there
allí there; por — around there; there
amaestrador m. trainer
amanecer to dawn; m. dawn
amargura bitterness
amarillo yellow
amarrar to bind, tie
ambición ambition
ambiente m. atmosphere
ambos both
ambulante wandering
amenaza threat
amenazador threatening
amenazar to menace, threaten
ameno pleasant; lo — the pleasantness
americano American
amigo friend
amo master; pl. master and mistress
amor m. love; — a love for
anárquico anarchistic
ancho wide
andar to walk
animación animation
animado animated; high-spirited
animal m. animal
animar to animate, enliven; to encourage

anoche last night

ansia anxiety

ansiedad *f.* anxiety

ansiosamente anxiously

ante before; in the presence of, confronted by

antepasado ancestor

anterior former, previous, preceding

anteriormente previously

antes formerly; before; — de, — de que, — que before; **cuanto** — as soon as possible

anticipación anticipation; **con** — early, ahead of time

antiguamente in the old days, formerly

antigüedad *f.* antique, ancient thing

antiguo ancient; former

antojarse (**antojársele a uno**) to take a notion to

anunciar to announce

anuncio announcement

añadir to add

año year

apagar to put out (*a light*); to deaden (*a noise*)

aparato apparatus, instrument

aparecer to appear

aparentemente apparently

aparición appearance

apartado separate; removed; distant

apartar to separate

apearse to dismount

aperitivo appetizer

apetito appetite

aplicar to apply

apoderarse de to take possession of; to overpower, seize

apostar (ue) a to bet, wager

apoyar(se) to lean, rest

apreciar to esteem

apremiante pressing, urgent

aprender to learn

apresuradamente hurriedly, hastily, rapidly

apresurado hasty

apresurarse to hasten

apretón *m.* pressure; **darse un** — de manos to shake hands

aprisa rapidly

aprobación approval

aprovechar, —se de to take advantage of

aproximarse to approach

apuntar to jot down; to point; to aim at

apurarse to worry

aquel, aquella that

aquél, aquélla that one; the former

aquí here; **por** — around here

árbol *m.* tree

arboleda grove

arbusto bush

ardor *m.* ardor

arma arm, weapon

armado armed

arqueología archaeology

arqueológico archaeological

arqueólogo archaeologist

arrancar to start up; to set out; to start from

arrastrar to drag

arreglar to arrange, settle

arriba up; **allá** — up there; **cuesta** — up the slope

arriesgar to risk; —**se** to take risks

arrimado (a) leaning (on); resting (against); touching; against

arrodillarse to kneel (down)

arrojar to throw, hurl

arroyo brook, stream

arroyuelo little brook, rill

arrugado wrinkled

artículo article

asaltar to assault, attack

asalto assault, attack

asegurar to assure; to state as a fact

asesinato murder

asesino assassin; thug

así thus; in that way; like this; — **que** so

asomarse to look out, show oneself; — **a** to look (lean) out of

asombrar to astonish

asombro surprise, astonishment

aspecto aspect

asumir to assume

asunto subject, matter; affair

asustarse de + *inf.* to be frightened at

atacante *m.* attacker

atacar to attack

ataque *m.* attack

atar to tie; atado de manos with his hands tied
atención attention
aterrado terrified
atestado (de) crowded (with)
atónito astonished, amazed
atrapar to trap, catch
atrás back; behind; asiento de — back seat
atrasado behind the times, backward
atravesar (ie) to go through, traverse
atreverse a + *inf.* to dare
atributo attribute
aullar to howl
aumentar to increase, augment
aun, aún even; still
aunque although
ausencia absence
ausentarse to absent oneself
ausente absent
auto auto
autobús *m.* bus
autocrático autocratic
automáticamente automatically
automóvil *m.* automobile
autorizar to authorize
auxilio help, aid
avanzado advanced; late
avanzar to advance
aventura adventure
avergonzado abashed, shamefaced
averiguar to find out; to check up on, verify
ay oh; ouch; alas; ¡— de mí! woe is me!
ayer yesterday
ayuda aid, help
ayudante *m.* aid, assistant, helper
ayudar to help
azorado confused, nervous
azteca *m. or f.* Aztec
azul blue

bah bah
bajar to go down, descend; to get out
bajito short
bajo *adj.* short; low; *prep.* under, underneath, beneath
bala bullet
balbucir to stammer
balsa pool
banco bank

bancario banking
bandido bandit
banquete *m.* banquet
bañar to bathe
barandilla railing
barbaridad *f.* outrage
bárbaro barbarous, barbarian
barrera fence
barro clay; mud
base *f.* base
bastante *adj.* enough; considerable; *adv.* quite, sufficiently; fairly
bastar to be enough, suffice
batir to beat
bebida drink
bello beautiful
bendito blessèd; praised
benéfico beneficent
benévolo benevolent
biblioteca library
bicho bug; (*familiar*) creature
bien well; correctly; — ... — either ... or; está — all right; estar — to be comfortable; más — rather; no — hardly; o — or perhaps
biftec *m.* beefsteak
binóculo binocular, field glass
blanco white
bloque *m.* block
bobo stupid creature, fool
boca mouth; — abajo face down; esta — es mía the slightest word, boo
bofetada blow; dar de —s to hit
bolsa purse; (stock) exchange; — negra black market
bolsillo pocket
bondadosamente in a kindly way
bonito pretty
boquear to gasp
bordadura embroidery
borde *m.* edge
bordeado de bordered by
borrar to erase, wipe out
bosque *m.* woods
bostezar to yawn
brazo arm; a — partido hand to hand
bribón *m.* crook, rascal
bridge *m.* bridge (*card game*)
brillar to shine
bronceado bronzed

brotar to spring (forth), issue
bruto brute
buen(o) good; goodly, considerable;
¡—! very well, all right; de buenas
a primeras right away; el — de
Lupe the good Lupe
bulto package, bundle
burro donkey
busca search; en — de in search of
buscador *m.* searcher, seeker
buscar to look for, seek; to get

cabalgar to ride (horseback)
caballo horse; a — on horseback
cabello hair; *pl.* hair
caber to be contained, fit; no cabe
duda there is no doubt
cabeza head
cabida place, room, space; dar — a to
leave room for
cabo end; llevar a — to carry out
cactus *m.* cactus
cachua, cachúa, cachuá *imaginary*
Aztec words
cada each, every; — cual each one;
— vez más more and more
cadavérico cadaverous
cadera hip
caer to fall; to fit, be becoming (*of*
clothes); — a to fall into; dejar —
to drop; después de caída la noche
after nightfall; se cae de su peso
it is self-evident
café *m.* café
café-bar *m.* café
caída fall; — de la noche nightfall
caja box
cajero cashier
calavera skull
caliente warm; hot
calmoso calm
calor *m.* heat, warmth; hace — it is
warm; va haciendo — it's getting
warm
calvo bald
callado silent
callar to be silent; to become silent
calle *f.* street
callejón *m.* narrow street, alley;
— sin salida blind alley
callejuela narrow street, lane
cámara chamber

camarada *m.* companion
cambiar (de) to change
cambio exchange; change
caminar to walk; to travel
caminito lane
camino road; lane; way; — abajo
down the road; media hora de —
half an hour's traveling; — de on
the way to
camisa shirt
campamento camp
campana bell
campaña campaign; country
campesino peasant, farmer, country
person
campo field; country; ground; — raso
open ground
canción song; la misma — the same
old story
cansarse to become tired; to tire
cantar to sing; (*slang*) to talk
cantidad *f.* quantity; sum
capataz *m.* foreman
capaz capable
capilla chapel
capital *f.* capital; Mexico City
capítulo chapter
cara face
caracol *m.* snail; ¿ ... ni qué caracoles? ... or what the dickens?
carácter *m.* character
caramba the deuce
carcajada burst of laughter; reír a —s
to laugh loudly
cárcel *f.* jail
carecer de to lack
carga charge; load
cariño affection
cariñosamente affectionately
carne *f.* flesh; meat
carrera career
carretera road, highway
carta letter
cartera briefcase
casa house; business concern, firm;
en — del profesor at the professor's house
cascabel *m.* (small) bell; rattle;
culebra de —es rattlesnake
caserío farmhouse; hamlet
casi almost
casita cottage, small house

caso case; occurrence; **en todo —** in any case; **hacer — de** to pay attention to, notice
castellano Spanish
casualidad *f.* chance
cataplún plop
catarro cold
católico Catholic
catorce fourteen
causa cause; **a — de** because of
causar to cause
cautela caution
cautelosamente cautiously
cauteloso cautious
cautivar to capture
cautivo captive
cavar to dig; **cava que te cava** digging and digging
cazar to hunt
cegar (ie) to blind
celebrar to celebrate; to be happy
cementerio cemetery
cenar to have supper, dine
cenote *m.* sacred well
centenar hundred
centímetro centimeter
centinela *m.* sentinel; **de —** as a sentinel; on watch
central central
centro center; **el —** downtown
ceñido tight-fitting
cerámica pottery
cerca *adv.* near; **— de** *prep.* near
cercano near
cerrar (ie) to close
cesar to cease, leave off
cicatriz *f.* scar
ciego blind
cielo sky; heaven
científico scientific, of science
ciertamente certainly
cierto certain, sure; a certain, some; true; **por —, por — que** certainly, indeed; **cierta libertad** a certain amount of freedom
cigarrillo cigarette
cigarro cigar *or* cigarette
cima summit
cinco five; **las —** five o'clock
cincuenta fifty
cine *m.* movies
cinta ribbon

cinturón *m.* **belt**
círculo circle
circundar to surround
cita appointment, date
citarse (con) to make an appointment (with)
civilización civilization
claramente clearly
claras: a las — clearly
claridad *f.* light, brightness
claro clear, obvious; **¡—!** of course!
clase *f.* kind, class
clavo nail
cocina kitchen
coche *m.* car
codo elbow; **hablar por los —s** to talk continuously and excitedly
coger to catch, pick up, take
cola tail
colina hill
colinita little hill, mound
colocar to place; to situate
color *m.* color
comedia comedy, play; **hacer una —** to act a part
comentario comment
comenzar (ie) (a) to commence; begin; **comenzado ya el banquete** the banquet having already begun
comer to eat; to dine
comienzo beginning
como as; like; **— quince pies** about fifteen feet
cómo what, how, in what way; **¿— es tu tierra?** what's your region like? **— no** yes, of course
cómodo comfortable
compañero companion, friend; **— de universidad** college mate
comparar to compare
compatriota *m. or f.* fellow countryman
competencia competition
complacido complacent, pleased
completamente completely
completar to complete
completo complete; **por —** completely
cómplice *m. or f.* accomplice
comportarse to act
compostura composure
comprar to buy

comprender to understand

comprimido tightly pressed

común common; tener mucho en — to have much in common

comunicar to communicate; to be connected

con with

concatenación concatenation, chain

conceder to concede, give

conciliar to conciliate, placate

condenado cursèd

conducir to conduct, lead

confesar (ie) to confess

confiar to trust

confirmar to confirm

confuso confused

conocer to know; to realize; to meet

conocido *adj.* well-known, renowned; *n.* acquaintance

conocimiento *pl.* knowledge

conquista conquest

conquistador *m.* conquistador (*early Spanish explorer and conqueror of the Indians*)

conseguir (i) to succeed in; to get, obtain

consentir (ie, i) en to consent

conserva preserve; alimento en — canned food

conservar to keep

considerar to consider

consigo with him; with himself

consiguiente: por — consequently

consistir en to consist of

constar to be stated as a fact; to be clear; me consta I know for a fact

consternación consternation

constituir to constitute

construcción construction

construir to construct, build

consultar to consult

contar (ue) to count; to tell, relate; — con to count on; + *inf.* to expect

contener to contain

contestación answer

contestar to answer

continuar to continue, go on

continuo continuous, constant

contra against

contrario contrary, opposed, oppo-

site; al — on the contrary, on the other hand

contrastar to contrast

convencer to convince; darse por convencido to be convinced

convenido arranged, agreed upon

conveniente fitting

convento monastery; convent

conversación conversation

convertir (ie, i) to convert, change

copa goblet, glass

copia copy

corazón *m.* heart

coronado crowned

corredor *m.* corridor; runner; broker

correo mail; casa de —s post office

correr to run; to hasten

correría expedition, excursion; round

corresponder to be due (to one); to belong

corresponsal *m.* correspondent

corriente *n.f.* current; *adj.* current, everyday

cortar to cut (off), block; to cut short

cortesía courtesy

corto short

cosa thing; affair

costar (ue) to cost

creer to believe; eso te lo crees tú (*familiar*) that's what you think

criada maid

crimen *m.* crime

criminal criminal

cristiano Christian

crítico critical

cronológicamente chronologically

cruz *f.* cross

cruzar to cross

cuaderno notebook

cuadra horse barn

cuadrado square

cuadrilla group, band

cual, el cual, lo cual, *etc.* which; cada — each one; ¿cuál? what? which?

cualquier(a) any; un joven — an ordinary young man

cuando when; aún — even if

cuantía quantity; importance

cuanto as much, *pl.* as many; everything that, all that which; — antes as soon as possible; — más the more; en — as soon as; en — a in respect to, as for; **unos —s** a few, some

cuánto how much; *pl.* how many

cuarenta forty

cuartel *m.* barracks; **— general** general headquarters

cuarto room; quarter; fourth

cuatro four

cubierto *p.p. of* cubrir

cubrir to cover

cucaracha cockroach

cuchichear to whisper

cuchillo knife

cuenta account; bill; **darse —** (de) to realize; **sin hacer entrar en la —** without taking into account

cuento story

cuerda cord; rope

cuesta slope, hill(side)

cuestión *f.* question

cuestionario questionnaire

cuidado care, worry; **tener — to** worry; **tener — de** to be careful to; **les tenía sin —** didn't matter to them

cuidadosamente carefully

cuidar to take care of

culebra snake

culminar to culminate

culpa blame; fault

cultivar to cultivate

cultura culture

cumbre *f.* summit

cumplir to fulfill, carry out

curiosidad *f.* curiosity

curioso curious

curso course

cutis *f.* skin

cuyo whose

chancear to jest

chapa sheet of metal; metal ornaments

chapoteo splash

chaqueta coat

charla chatting, talk

charlar to chat

charro charro (*member of riding club wearing old Mexican riding costume*)

chico boy

Chichen Itza *the most renowned ruined city of the Mayas*

chillar to shriek

chillido cry, scream

chis pst

chocar to bump

chófer *m.* chauffeur

chorrear to run (*of water*), drip; **to be** dripping wet

dar to give; **— a** to face on; **— a entender** to lead to believe, imply; **— con** to come upon, find; **—se de cara con** to meet face to face; **—se por convencido** to be convinced

de of; from; about; with; by; (*before numerals*) than; **— estudiante** as a student; **— nombre** by name; **— una manera amenazadora** in a menacing way; **cambiar — aspecto to** change its appearance; **las diez — la mañana** ten o'clock in the morning; **lo que tenemos — real- mente bueno** what really good things we have

debajo *adv.* underneath; **— de** *prep.* under, underneath

deber to owe; ought, must; to be to· *n.* duty

debido due, proper

débil weak, faint

decidirse to decide; **— a + *inf.*** to decide to

décimo tenth

decir to say; to tell; **es —** that is to say; **decía ser** he said he was

decisivo decisive

dedicarse a to devote oneself to

dedo finger

deducir to deduce

defender (ie) to defend

deidad *f.* deity

dejar to leave; to give up; to allow, let; **— de + *inf.*** to fail to; to cease

delante: — de in front of, before; **por —** in front; **por — de** in front of

delantero front, in front

deleitarse (con) to delight (in)

demás rest; **lo —** the rest; **los —** the other

demasiado *adj.* too much; *adv.* too, too much

dentro *adv.* within, inside; — de *prep.*
within, inside
departamento apartment
deponer to lay down
derecho right; a la derecha to the
right
desafiar to defy, challenge
desalentado discouraged
desaparecer to disappear
desaparición disappearance
desastre *m.* disaster
desbarajustar to spoil, upset
descarga discharge, shot
descifrar to decipher
desconcertado disconcerted
desconcertar (ie) to disconcert
desconfiado doubting, lacking faith;
n. doubter
desconocido unknown
descorazonado discouraged
describir to describe
descripción description
descrito *p.p. of* describir
descubrimiento discovery
descubrir to discover, find
desde since; from; — hace seis años
for the last six years; — luego obviously, of course
desear to wish, want, desire
desenterrar (ie) to dig up, uncover
deseo desire; tener —s de to be
eager to
deseoso eager, desirous
desesperación desperation
desesperado desperate; hopeless
desfiladero gorge, defile
desgraciadamente unfortunately
deshacerse en to outdo oneself in
deslumbrado dazzled
desmontado dismounted
desnudo bare, naked
desollar (ue) to skin
despacio slowly
despedirse (i) de to take leave of,
say good-by to; to renounce
despertar (ie) to waken
despistar to throw off the trail
despojo *sing. or pl.* spoils, booty
déspota *m.* despot
después afterwards; then; next; —
de, — (de) que after
destacarse to stand out

destruir to destroy
detalle *m.* detail
detective *m.* detective
detenerse to stop
detenidamente thoroughly
determinación determination
detrás de behind
día *m.* day; de — by day, in the
daylight; las cosas del — present-
day affairs; ocho —s a week;
quince —s two weeks; todos los
—s every day
diablo devil; ¡qué diablos! what the
deuce!
dibujar to sketch, depict
dibujo sketch
diccionario dictionary
dictar to dictate
dichoso blessèd; (*ironically*) cursèd
diecinueve nineteen
diente *m.* tooth
diez ten; las — ten o'clock; — y
nueve nineteen; — y ocho eight-
een; — y seis sixteen; — y siete
seventeen
diferente different
difícil difficult
dificultad *f.* difficulty
difuso diffuse
dignidad *f.* dignity
digno worthy
dinamita dynamite
dinero money
dios, Dios *m.* god, God; de — heav-
enly; ¡ — mío!, por — for heaven's
sake
diosa goddess
dirección direction; instruction; man-
agement; con — a in the direction of
dirigir to direct; —se to direct
oneself; to go, head; to speak
disculpar to excuse
discusión *f.* discussion
discutir to discuss
disfrutar de to enjoy
disipar to dissipate
disparar to shoot, fire; salieron disparados they lit out like a shot
disparo shot
disponer to dispose; — de to have at
one's disposal; —se a + *inf.* to get
ready to

disposición disposition, arrangement

disputa dispute

disputar to dispute, contest

distancia distance

distar to be distant, be far; to be located at a distance of; ¿cuánto dista? how far is it?

distinción distinction

distinguir to distinguish, make out, recognize

distinto different

diverso different

divertirse (ie, i) to amuse oneself, have a good time

divisar to make out, see, perceive

doblar to bend, turn

doce twelve

domar to break (*a horse*), tame

doméstica servant

dominar to dominate

domingo Sunday; de — en ocho días a week from Sunday

don *honorary title, like "sir," not to be translated*

donde where; en — in which; ¿a dónde? where? ¿por dónde? how? by what way?

dorado golden

dormir (ue, u) to sleep; —se to go to sleep

dos two

duda doubt; poner en — to doubt

dueño owner, possessor, master

durante during

durar to last

durmiente sleeping; bella — sleeping beauty

duro hard; harsh

e and (*before words beginning with* i)

eco echo

echar to throw, cast, hurl; — a perder to spoil, ruin; — a + *inf.* to begin; —se al agua to dive (*or* jump) into the water

edad *f.* age

edificio building

efecto: en — in fact

eh eh

ejemplo example

ejercicio exercise; hacer — to exercise

el que that which; he who, *etc.*

eléctrico electric

elevado upper; lofty

ello it; — es que the fact is that; por — because of that; por — mismo for that very reason

ellos they; them; ¡a —! up and at them!

embargo: sin — nevertheless

emitir to emit, give (forth)

empezar (ie) to begin

empinado upright, steep

emplear to use, employ

emplumado plumed, feathered

emprender to undertake

en in; at; on; into

enamorarse de to fall in love with

encantado enchanted, charmed

encantador enchanting, charming

encanto enchantment, charm

encararse con to face

encarcelar to imprison, jail

encargarse de to take charge of, look after

encender (ie) to kindle, light (up); se le encendió la cara his face flushed

encerrar (ie) to enclose, contain; to shut in; to lock up

encima de on top of; por — — over

encontrar (ue) to meet; to find

enemigo *n.* enemy; *adj.* of the enemy; inimical

energía energy

engañar to deceive; —se to be mistaken

enlodar to make muddy

enorme enormous

ensancharse to widen

enseñar to teach

ensillado saddled

ensimismado engrossed, lost (in thought)

entablar to begin, start

entender (ie) to understand

enterarse de to inform oneself about, learn about, find out about

entonar to tone up

entonces then

entorpecido stiff; dull

entrada entrance

entrañas *pl.* bowels; bosom

entrar (en *or* a) to enter; sin hacer —
en la cuenta without taking into
account
entre between; among; de — from
among; — las manos in (my)
hands; — risueño y serio half
smiling and half serious; — tanto
meanwhile
entrecejo brow
entretanto meanwhile
entrever to see dimly, half see
entusiasmo enthusiasm
enviar to send
época epoch
equipaje *m.* luggage
equivocación mistake
equivocarse to be mistaken
erguirse (ie, i) to rise
error *m.* error
erudito erudite, learnèd
escapar(se) to escape, elude
escaparate *m.* show window
escarbar to scratch, dig
escasear to be rare
escaso scarce, sparse
escena scene; stage; locale
esclarecerse to open up
esconder(se) to hide
escondrijo hiding place
escopeta gun, shotgun
escribir to write
escritura writing
escuchar to listen to; —se to be
heard
escudriñar to scrutinize
escultor *m.* sculptor
escurrirse to slip (away), withdraw
stealthily
esencia essence
esencial essential
esfuerzo effort
eso that; a — de about; — de that
matter of; por — for that reason,
therefore; y —, señor, ¿qué sé yo?
what do I know about that?
espacio space, room
espantar to frighten away
español Spanish
especial special
especialista *m.* specialist
especialmente especially
esperanza hope

esperanzado filled with hope
esperar to hope; to wait (for); to expect
espesura thicket
espía *m.* spy
espléndidamente splendidly
esqueleto skeleton
esquina corner
establecer to establish
establo cattle barn
estacionar to park (*a car*)
estado state; Estados Unidos United
States
estampido report (*of a gun*)
estancia stay; room
estanque *m.* pool
estante *m.* shelf
estar to be; — bien to be comfortable; — para to be about to; está
de más it is unnecessary; él está he
is there (here)
estatua statue
éste this one; the latter
estilo style; por el — of that sort,
like that
estimular to stimulate
estímulo stimulation
esto this; con —, en — at this point
(moment), then
estoicamente stoically
estorbar to disturb, be in the way
estratagema *m.* stratagem
estrecho narrow
estrella star
estreno first performance (*of play*);
(*figuratively*) beginning, debut
estudiante *m. or f.* student; de — as a
student
estudiar to study
estudio study
estupendo stupendous
estupidez *f.* stupidity
estúpido stupid
et cétera et cetera, and so forth
europeo European
evidencia evidence
evidente evident
evidentemente evidently
evitar to avoid
evolucionar to evolve; to change,
progress
exagerado exaggerated

exaltado exalted
examinar to examine
excavación excavation
excavar to excavate
excepción exception
excepto except
exclamar to exclaim
excursión *f.* excursion, **trip**
excusar(se) to excuse (oneself)
exhalar to exhale, breathe
existir to exist
éxito success
explanada esplanade, level space
explicación explanation
explicar to explain; **no me explico**
I don't understand
explícito explicit
exploración exploration, investigation
explorador *m.* scout
explorar to explore, **inves**tigate; to
spy out
exponer to expose
expresión *f.* expression
expulsar to expel
extático ecstatic
extender(se) (ie) **to** extend
exterior outside
extraer to extract
extranjero foreigner
extrañar to surprise; —se de to be
surprised at
extrañeza wonder
extraño strange
exudar to exude

facción feature
fácil easy
falso false
falta lack; **nos hace —** we need
faltar to lack; to be lacking, be missing; **nos faltaba agua** we lacked
water
fama fame, reputation
famoso famous
fantasear to dream
fantasía illusion; imagination; fantastic idea
fantástico fantastic
fastidiar to molest, bother, tease
fastidio bother, trouble
fatídico fateful

favor *m.* favor; **por —** please
fe *f.* faith
felicidad *f.* happiness
feliz happy; fortunate
feroz fierce, savage
ferozmente fiercely
fiarse de to trust **(in)**
fiel faithful
figura figure
figurarse to imagine
figurita little figure, statuette
fijamente fixedly, steadily
fijar to fix; —se en to fix one's attention on, notice
fijeza steadfastness; **con —** fixedly,
steadfastly
fin *m.* end; object, purpose; **a — de**
in order to; **a — de que** so that;
al —, por — finally; **al — y al cabo**
when all is said and done
finalmente finally
financiero financial
fingir to feign, pret**end**
físico physical
flor *f.* flower
florecer to flourish
foco spotlight
fondo depth, bottom; end; **a —** thoroughly
forma form
formal formal, **serious; hombre —**
grown man
formalidad *f.* formality
formar to form
formular to formulate
forzar (ue) to force
fracasar to fail
fracaso failure
fraile *m.* friar
francamente frankly
franciscano Franciscan
frase *f.* sentence, phrase
frecuencia frequency; **con —** frequently
frecuente frequent
frente *f.* forehead; front; **— a** in
front of, opposite
fresco fresh; cool; **al —** outdoors;
¡estamos —s! we're in a fine fix!
frío cold
frontera border
fruncir to frown

fruto product

fuente *f.* spring, fountain; pool; stream

fuera de outside; — — sí beside himself

fuerte strong; bad

fuertemente powerfully; deeply

fuerza strength, force

fugar(se) to run away, flee, escape

fugitivo fugitive

fumar to smoke

fundamento foundation, basis

furia fury

furioso furious

fusil *m.* gun

galería passageway, corridor

gana desire; will; de buena — willingly

ganar to earn, win; to reach; to gain

Gante Ghent

garage *m.* garage

garganta throat; gulch

garra claw

gastar to waste; to spend

gatas: a — on all fours, creeping

gato cat; aquí hay — encerrado there's something hidden here, I smell a rat

gemir (i) to groan, moan

general general

gente *f.* people

gerente *m.* manager

gesto gesture; expression

gigantesco gigantic

gimnasia exercise, gymnastics

girar to turn, revolve

gobernador *m.* governor

gobernante *m.* governor, ruler

gobierno government

golpe *m.* blow

golpecito tap, little blow

gordo fat; immense; premio — first prize

gota drop

gozar de to enjoy

gozne *m.* hinge

gozo joy

gozoso joyous; — de verse libre happy to be free

grabar to engrave; to carve

gracias *pl.* thanks; dar — to thank

gran(de) big, large; famous

grandísimo very large

grandote immense

gratificación gift, tip

gravemente gravely

gritar to shout, call, cry

grito shout; a —s with shouts, in loud tones; dar —s to shout

grueso fat; immense, huge

gruñir to growl

grupo group

guapo good-looking, pretty

guarda *m.* guard

guardar to guard; to keep

guardián *m.* guard, keeper

guerra war; en son de — ready for battle

guía *m.* guide

guiar to guide; to drive

gustar to be pleasing; to please

gustazo great pleasure

gusto pleasure; mucho — how do you do? (*on making someone's acquaintance*)

haber to have; — de to be to, must; habidos y por — already existing and to exist; past, present, and future; hay, había, habrá, *etc.* there is, there are, there was, there were, there will be, *etc.*; hay que + *inf.* it is necessary; no hay para qué añadir it isn't necessary to add; como si no hubiera nada as if nothing were the matter

habitante *m.* inhabitant

habitar to inhabit, live in

habitual habitual

hablar to speak, talk; — para sí mismo to talk to oneself

hacendado rancher

hacer to make; to do; + *inf.* to make, cause to; hace (cuatro siglos) (four centuries) ago; se hace tarde it's getting late; hacía una hora que el profesor estaba allí the professor had been there (for) an hour; ¿Qué hará? What can he be doing?

hacia towards

hacienda (large) ranch

hada fairy

halagador flattering; pleasant

halar to haul, pull
hallar to find; —se to be, find one-self
hallazgo find, discovery
hambre *f.* hunger; tener — to be hungry
hasta up to, to, until; even; as many as; — que until
hecho *n.* fact; deed; *p.p. of* hacer
herida wound
herir (ie, i) to wound, strike
hermano brother
hermoso handsome, beautiful
héroe *m.* hero
hielo ice
hierba grass
hijo son; my boy; — mío my dear boy
historia story; history
historiador *m.* historian
hito: de — en — fixedly
hojear to thumb over, run through (*a book*)
hola hello
hombre *m.* man; (*familiar*) old boy, my good man, *etc.* (*often not to be translated*)
hombro shoulder
honor *m.* honor; hacer los —es to do the honors
hora hour; time; a estas —s at this time (of day)
hotel *m.* hotel
hoy today
hueco hollow
huella track, footprint
hueso bone
huésped *m.* guest; host
huir to flee
humano human
humilde humble
humillar to humble
hundir(se) to sink
hurtar to steal
hurto theft; — de menor cuantía petty theft

idea idea
idéntico identical
identificar to identify
idílico idyllic
idiota *m. or f.* idiot

íes (*pl. of* i) i's
iglesia church
igualdad *f.* equality
ilusión *f.* illusion, dream, hope
imaginarse to imagine
imbécil stupid; imbecile
impaciencia impatience
impaciente impatient
imparcial impartial; El Imparcial *name of a newspaper*
impasible impassive
impedimento obstacle, impediment
impedir (i) to impede, prevent
imperceptible imperceptible
importancia importance
importante important
importantísimo extremely important
importar to be important; to concern
imposible impossible
impresión *f.* impression
improviso: de — unexpectedly
inaccessible inaccessible
incidente *m.* incident
inclinar to bend down; to sink; —se to bow
inclusive including
incomodar to bother
incomprensible incomprehensible
inconcebible inconceivable
incredulidad *f.* incredulity
incrédulo incredulous
incrustado incrusted, set
indicación indication, evidence
indicar to indicate
indicio indication, hint
indígena *m. or f.* indigenous, native
indio *n. or adj.* Indian
indudable indubitable, beyond doubt, certain, undoubted
inevitable inevitable
inexplorado unexplored
infinito infinite
influencia influence
informarse de to inquire about
informes *m. pl.* information
inmediatamente immediately
inmediato immediate
inmolar to immolate, sacrifice
innato innate
innocuo innocuous
innumerable innumerable
inocencia innocence

inquietante disquieting, disturbing
inquietar to worry
inscripción inscription
inscrito inscribed
insignificante insignificant
insistir to insist
instalar to install
instante *m.* instant; al — immediately
intelectual intellectual; learned
inteligencia intelligence
inteligente intelligent
intención intention
intenso intense
interés *m.* interest
interesante interesting; advantageous
interesantísimo very interesting
interesarse por to be interested in
interior interior, inside
interlocutor interlocutor, speaker
interminable interminable, unending
interpretación interpretation
interpretar to interpret
interrumpir to interrupt
intimidad *f.* intimacy
intruso intruder
intuición intuition
inundar to inundate, flood
inútilmente without avail, fruitlessly
invadir to invade
investigación investigation
investigar to investigate
invierno winter
invisible invisible
invitar a + *inf.* to invite to
invocar to invoke, call on
involuntariamente involuntarily
ir to go; —se to go (away); os va la vida en ello your life is at stake in the matter; ¡vamos! come! let's go!; a eso voy that's what I'm driving at
ironía irony
irremediable irremediable, beyond help
irrespetuoso disrespectful
irritación irritation
irritar to irritate
Isabel la Católica *Isabel of Castile, patroness of Columbus, called by the honorary title "the Catholic queen"*

izquierdo left; a la izquierda to the left
ja ha
jactarse (de) to pride oneself (on); to boast (about)
jade *m.* jade
jadeante panting
jardín *m.* garden
jardinero gardener
jaspe jasper
jefe *m.* chief, leader
jeroglífico hieroglyphic
jocoso jocose
joven young; young man
Juan Tenorio heartbreaker, lady-killer (*from the hero of Zorrilla's play "Don Juan Tenorio"*)
jubilado retired
júbilo joy
juego game; set
jugar (al bridge) to play (bridge)
juicio judgment; poner en tela de — to put in doubt, question
juntar to gather; —se to come together
juntito a right next to
junto together; — a next to, close to; — con along with
juntura juncture; la — de las piedras the cracks between the stones
jurar to swear
juventud *f.* youth

labio lip
labor *f.* labor
ladera side (of hill); hill
lado side; direction; por todos —s in every direction; everywhere
ladrar to bark
ladrido barking
ladrón *m.* thief
lamentarse de to regret; to complain about
lámpara lamp
lanzar to throw; —se to rush
lápiz *m.* pencil
largo long; a lo — de along; — de aquí get out of here; tener (dos metros) de — to be (two meters) long
lástima pity; me da (una) — it makes me feel bad

latín Latin
lazo loop, slip knot
leal loyal, trustworthy
lectura reading
leer to read
Leipzig *a city in Germany*
lejano distant
lejos far; a lo — in the distance;
— de far from
lengua tongue; language
lentamente slowly
lentes *m. pl.* glasses
letra letter (of alphabet); hand-
writing
letrero sign
levantar to raise; —se to get up
leve slight
liar to tie (up)
libertad *f.* liberty
libertador *m.* liberator
libertar to free, set free
librar to free
libre free
libremente freely
libro book
librote *m.* (*aug. of* libro) big book,
immense tome
ligero slight; light
límite *m.* limit
limonada lemonade
línea line
lingüístico linguistic
linterna lantern; — eléctrica flash-
light
listo clever; ready
lo (*neuter article*): — aburrido how
bored; — cual which; — de
siempre the usual thing; — mejor
the best thing; — mismo the same
thing; — necesario what is necessary; — que that which, what;
— rojo the redness
local local
localidad *f.* location
loco crazy
lodo mud
lógica logic
lógico logical
lograr to succeed in; to attain, get
lona canvas
losa (paving) stone, slab
luciente shining

lucha fight, struggle
luchar to fight
luego then; next; soon; desde — of
course; hasta — so long
lugar *m.* place; town; en — de in-
stead of
lugarcito little place, little room
lugarteniente *m.* lieutenant
lujoso luxurious
luz *f.* light; hacer — to strike a
light

llamar to call; —se to be named;
¿cómo se llama? what's his name?
el llamado Hans the one called
Hans
llaneza familiarity; simplicity; frank-
ness
llanura plain
llave *f.* key
llegada arrival
llegar to arrive; to reach; — a + *inf.*
to come to; to succeed in; — a ser
to come to be, become
llenar to fill
lleno full; covered with; de —
squarely, directly
llevar to carry, take; to lead; to wear
(*clothes*); se llevó la mano al hombro
he raised his hand to his shoulder

madre *f.* mother
madrugador early riser
magnificar to magnify
magnífico magnificent
majestuoso majestic
mal *m.* evil; por — de mis pecados to
my misfortune, unfortunately for
me; *adv.* badly; wrongly
maldecir to curse
maldito cursèd
malezas *pl.* brush
malicia malice
maliciosamente slyly; with malice
malicioso malicious
malo bad
mancha spot
mandar to command, order; to send;
to be in authority
mando command
manejar to drive (*a car*)
manera manner, way; de — que so

that; de ninguna — not at all; by
no means

mano *f.* hand; de —s a boca suddenly; ¡—s a la obra! let's get to
work! let's start!

mantener to maintain, keep; —se to
remain

mañana morning; tomorrow; muy
de — very early in the morning;
por la — in the morning

mar *m. or f.* sea; a lot, all kinds

maravilla marvel

maravilloso marvelous

marca brand, make

marcado marked, decided

marcar to mark

marcha march; ponerse en — to set
out

margen *m. or f.* edge

mártir *m. or f.* martyr

mas but

más more; most; plus; other; aquí,
no — right here; cada vez — constantly more, more and more; está
de — it is unnecessary; — bien
rather; por — que although; however much; sin — ni — without
more ado

masa mass

máscara mask

matar to kill

matorral *m.* thicket

máximum *m.* maximum

maya *m. or f.* Maya, Maya Indian

mayor larger; older; greater; persona
— mature person, major

mayordomo foreman

mayoría majority

mecanismo mechanism, works

medida measure, dimension

medio *adj.* half; *n.* means; a — bajar
halfway down; a media voz in a
low voice; en — de in the midst
of

medir (i) to measure

meditar to meditate

mejilla cheek

mejor better; best

melena bobbed hair, bob

mencionar to mention

menear to shake

menor lesser, minor

menos less; least; al —, a lo —, por
lo — at least

mensaje *m.* message

mensajero messenger

mente *f.* mind

mentir (ie, i) to lie

mercado market

Mercedes-Benz *a German make of
automobile*

merecer to merit, deserve; ¡bien
merecido lo tengo! it serves me
right!

mesa table

metal *m.* metal

meter to put (in); —se a (detective)
to set oneself up as (a detective);
—se en to get involved in

metro meter (*about 39 inches*)

mexicano Mexican

México Mexico; Mexico City

mezclar to mix

miedo fear; dar — to cause fear;
tener — to be afraid

miembro member

mientras while; — que while;
— tanto meanwhile

miércoles *m.* Wednesday

miga crumb; hacer buenas —s con
to get along well with

mil (a) thousand

milagro miracle; saber la vida y —s
(de uno) to know all about (someone)

minuto minute

mío mine; los —s my men; salir con
la mía to get my way; to win

mirada look, gaze, glance

mirar to look (at)

mismito: el — the very same; precisely

mismo same; very; itself; (*with personal pronouns*) self; ahora — right
now; aquí — right here

misterio mystery

misterioso mysterious

mitad *f.* half

moderno modern, up-to-date

modo way, mode; de otro — otherwise

mojado soaked, wet

mojar to drench, soak

molestar to disturb

momento moment; **—s después** a few moments later
monasterio monastery
moneda coin
monólogo monologue
montaña mountain
montañoso mountain, mountainous
montar to ride (horseback); to mount
monte *m.* mountain; hill; woods
Monte Albán *a famous archaeological site near Oaxaca, where extremely valuable jewels were found*
montículo mound
montón *m.* pile, heap
monumento monument
mordaza gag
morder (ue) to bite
morir (ue, u) to die
moscón *m.* (horse)fly
mostrar (ue) to show
motivar to motivate
motivo motive, cause; **con — de** because of
motor *m.* motor
mover (ue) to move
muchacha girl
muchacho boy
mucho *adv.* a lot, a great deal; *adj.* much; *pl.* many
mudar de to change
mueble *m.* piece of furniture; *pl.* furniture
muelle *m.* spring (*of watch, car, etc.*)
muerte *f.* death
muerto dead
muestra sign; sample
mujer *f.* woman
mundo world; **todo el —** everybody
muralla wall
murmurar to murmur, whisper
muro wall
músculo muscle
muy very

nacer to be born
naciente newborn; rising (*of sun*)
nacional national
nacionalidad *f.* nationality
nada nothing; anything
nadador *m.* swimmer
nadar to swim
nadie nobody, no one; anyone

nado: a — swimming, by swimming
nariz *f.* nose
narrar to narrate
natural natural
naturalmente naturally, of course
navaja knife
necesario necessary
necesidad *f.* necessity
necesitar to need; **— de** to need
negar (ie) to deny; **—se a + *inf.*** to refuse to
negocio business
negro black
nerviosamente nervously
nervioso nervous
neumático tire
ni nor; not even; **— ... —** neither ... nor
nieve *f.* snow
ningún, ninguno no; none; nobody
niñez *f.* childhood
nivel *m.* level
no no; not; **¿—?** don't you? isn't it? *etc.*; **— bien** hardly
noción notion
noche *f.* night
nombrar to name; to appoint
nombre *m.* name
norteamericano North American; from the United States (*as opposed to Mexican*)
nota note
notable notable, remarkable
notar to notice; to note
noticias *pl.* news; **recibir — de** to hear from
notita note
novedad *f.* novelty; surprise; danger; **sin hallar — alguna** without finding anything new
noveno ninth
nuestro our; **los —s** our men
nueve nine
nuevo new; **de —** again; anew
número number
nunca never; ever

o or; **— ... —** either ... or; **— sea** that is; or rather
obedecer to obey
objeto object
obra work

obscuras: a — in the dark
obscurecer to grow dark
obscuridad *f.* darkness
observar to observe
obstáculo obstacle; difficulty
obstruir to obstruct
obtener to get, obtain
ocasión *f.* opportunity; occasion
octavo eighth
ocultar to hide
oculto hidden
ocupación occupation
ocupado busy
ocupante *m. or f.* occupant
ocupar to occupy; —se de to occupy
oneself with *or* in; to concern oneself
with
ocurrir to happen, occur
ocho eight; — días a week
ofrecer to offer
oído ear; al — in the ear
oír to hear
ojalá would, would that
ojeada glance
ojo eye
olfato sense of smell
olvidar to forget; —se de to forget;
—sele (a uno) to forget
olvido forgetfulness; oblivion; echar
en — to lose sight of, forget about
olla pot, kettle
once eleven
opinar to be of the opinion, believe;
to judge; to declare
oportunidad *f.* opportunity
opuesto opposite
oral oral
orden *m.* order (*of series*); *f.* order,
command
ordenar to order, command
origen *m.* origin
orilla bank, edge (*of stream*)
oro gold
oscilar to swing, sway
otro other, another

pacer to graze
paciencia patience
padre father
pagar to pay
página page
país *m.* country

paisaje *m.* landscape
pajarito little bird
pájaro bird; *fig.* fellow
palabra word
palanca lever
palidez *f.* pallor
pálido pale
pan *m.* bread
panorama *m.* panorama
pantalones *pl.* trousers
papel *m.* paper
par *m.* pair; couple
para for; in order to; — que so that,
in order that; ¿— qué? why?
parachoques *m.* bumper
paradero stopping place, location
parado standing
paraíso paradise
parar(se) to stop; to stay
parecer to seem, seem to be; —se a
to resemble; al — nada más in appearance only
parecido like, similar
pared *f.* wall
pareja couple
parlamentar to parley
párrafo paragraph
parte *f.* part; direction, side; de mi —
on my part, on my side; en otras
—s elsewhere; por esta — in this
direction; por — de (ella) on (her)
part; por todas —s in all direc-
tions, everywhere
particular private; peculiar; eso no
tiene nada de — there's nothing
strange about that
partida departure
partido: a brazo — hand to hand
partir (de) to leave; to come from
pasado past; last
pasajero passenger
pasar to pass; to happen; to spend
(*time*); — cuidado to worry;
— hambre to go hungry; — las de
Caín to suffer intensely; —lo bien
to enjoy life, have a good time
pasearse to walk (up and down); to
take a walk
paseíto little walk; little trip; dar un
— to take a little trip, walk
paso step; passageway, al — que
while; cortar el — a los fugitivos to

cut off the fugitives; **dar —s** to take steps
pasto feed
patalear to stamp (*the ground*)
patrón *m.* boss; mister
pavimentar to pave
pavimento pavement; floor
paz *f.* peace; hombre de — a peaceful person
pecado sin
pecho chest, bosom
pedazo piece
pedir (i) to ask
pegado a glued to; close to
pegar to stick to; se te pegan las sábanas you can never get up, you always oversleep
película film
peligro danger
peligroso dangerous, perilous
pelo hair
penetrar to enter, penetrate, go into
penosamente painfully
pensamiento thought
pensar (ie) to think; — en to think about; + *inf.* to intend to, expect to; ¡bien pensado! a good idea!
pensión *f.* boardinghouse
peor worse; worst; — para ti the worse for you
pequeño small
perder (ie) to lose; to waste (*time*); to ruin; echar a — to ruin, spoil; — de vista a alguien to lose sight of someone
perdonar to pardon
perezosamente lazily
perfectamente perfectly; está — he's perfectly well
periódico newspaper
permitir to permit
pernera leg (of trousers)
pero but; — muy ricos very rich indeed; — que muy lejos very far indeed
perplejo perplexed
perro dog; — policía police dog
persecución pursuit
perseguir (i) to pursue
persona person
personaje *m.* character; personage, important person

personal personal
perspectiva prospect, **view**
persuadir to persuade
pertenecer to belong
perturbación anxiety; disturbance
perturbado perturbed, upset
pesado heavy
pesar: a — de in spite of
pesca fishing
pescar to fish
peso weight
pestillo catch, lock
pícaro *adj.* roguish; wretched
pico peak; bit; las tres y — a little after three o'clock
pie *m.* foot; de —, en — on foot, standing; ponerse de — to stand up
piedra stone
piel *f.* skin
pieza piece; room
pinchazo puncture
pino pine (tree)
pintar to paint; —se to be depicted
pintoresco picturesque
pirámide *f.* pyramid
pista trail; scent
placa plaque
placer *m.* pleasure
plan *m.* plan
plantear to set, propose (*a subject*)
plata silver
plaza square
población town
pobre poor
poco *n. or adj.* little; *pl.* few; — a — little by little; por — almost; un — de a little
poder to be able, can; puede ser it may be, it is possible
policía police; perro — police dog
político *adj.* political
polizonte *m.* "cop"
polvo dust
polvoriento dusty
ponderar to extol
poner to put; —al tanto to inform, bring up to date; —se a to set oneself to; to begin
popular popular, of the people
poquísimo (*superlative of* poco) **very** little

poquito (*diminutive of* **poco**) **a bit;** — **a poco** take it slow

por for; because of, on account of; through; along; by; to; — **aquí** around here; this way; — **delante** in front (of one); — **donde** by which; — **fin** finally; — **más que** although; however much; — **no decir nada** to say nothing; **diez tomos** — **leer** ten volumes to read

porción part, portion

por qué why

porque because

portón *m.* large door; gate

porvenir *m.* future

posibilidad *f.* possibility

posible possible

posiblemente possibly

posición position

poste *m.* post

pozo well

práctico practical; sensible

prado meadow

precaución precaution

preceder to precede

precio price

precioso precious

precipitarse to throw oneself, spring, rush

precisamente precisely, exactly

pre-colombiano pre-Columbian

predilecto favorite

preferir (ie, i) to prefer

pregunta question

preguntar to ask; —**se** to wonder

prehistórico prehistoric

premio prize

preocupación worry, preoccupation

preocupado worried

preocuparse to worry

preparado ready, prepared

preparar to prepare

preparativo preparation

presencia presence

presentación introduction

presentar to introduce; to present

presidido presided over

preso captive, prisoner, imprisoned

prestar to lend; — **atención** to pay attention

presteza speed, swiftness; **con** — quickly

prevenido prepared; forewarned

prevenir to prepare, take measures

primero *adj.* first; *adv.* first, at first

primitivo original; primitive

princesita (*dim. of* **princesa**) young princess

principal principal, chief

príncipe *m.* prince

principiar to begin

principio beginning

prisa haste; **darse** — to hurry; **tener** — to be in a hurry

prisión *f.* prison; imprisonment

prisionero prisoner

privilegiado privileged

probablemente probably

probar (ue) to prove; **cosa probada** a fact

problema *m.* problem

proceder to proceed

prodigar to give unstintingly

producto product

profesión *f.* profession

profesor *m.* professor

profundo profound, deep

profusamente profusely

prohibir to prohibit

prolongar to prolong

promesa promise

prometer to promise

pronosticar to prognosticate, predict

pronto soon; quickly; **de** — suddenly; **tan** — **como** as soon as

propiedad *f.* property

propio one's own, own; proper, appropriate

proponer to propose

proporcionar to give

proposición proposition

propósito: a — by the way; **a** — **de** apropos of

prorrumpir to break out, exclaim

proteger to protect

protegido protégé

proveer de to provide with, get

provisiones *f. pl.* provisions

provocar to provoke

próximo next; near

proyectar to project, throw (*a light*); to plan

proyecto plan

prueba proof

púa barb
pueblecito village
pueblo town; people; nation
puente *m.* bridge
puerta door; gate
puerto (mountain) pass
pues well
puesto position; stand (*in market*); place
puesto que since
pulmón *m.* lung
pulque *m. a drink made of the juice of the century plant*
punto point; dot; en — on the dot, exactly
puntual punctual
puramente purely
puro pure

que that; who; which; for; than; as
qué what
quedar to remain; to be left; —se to remain, stay; quedan reclutados are recruited
queja complaint; groan
quejarse to complain
quejido complaint, groan
quemar to burn
querer to want, wish; to be willing, will; — decir to mean
querido beloved
Quetzalcoatl *Aztec god, a deified emperor of the Toltecs who established civilization in the Valley of Mexico. His symbol was the feathered serpent.*
quien who; ¿de quién . . .? whose . . .?
quince fifteen; — días two weeks
quinientos five hundred
quinto fifth
quitar to take away; —se to take off
quizás perhaps

rabia rage
rabo tail; queda el — por desollar (*literally* the tail remains to be skinned), there's something more to be told
radicalmente radically
rápidamente rapidly
rápido rapid
raptar to kidnap

raptor *m.* kidnaper
raro strange
rasguñar to scratch
raso flat; campo — open country
rastro track, trail
ratero sneak thief
rayo ray
raza race
razón *f.* reason; tener — to be right
razonable reasonable
razonamiento reasoning
reacción reaction
real real
realidad *f.* reality
realizar to make real, realize, carry out
realmente really
reata lariat
recadito *dim. of* recado
recado message; errand
recelo fear; anxiety
recelosamente suspiciously
recibir to receive
recién, reciente recent; recently; — llegado recent arrival; — venido newly arrived person
recientemente recently
recinto enclosure; space, area
reclutar to recruit
recobrar to recover
recoger to get
recomendar (ie) to recommend
recompensar to recompense
reconocer to recognize; to reconnoiter
recordar (ue) to remember, recall
recorrer to traverse; to pass through *or* over; to travel
recostado leaning back; stretched out
recuerdo remembrance; memory; enviar —s to send greetings
recurso recourse
rechinar to hiss
reemplazar to replace
reflejar to reflect
reflejo reflection
refriega skirmish; scuffle
refunfuñar to grumble
regañar to reprimand, scold
regar (ie) to water, irrigate
región *f.* region
registrar to examine, search

regla rule; **en —** proper; formal
regordete chubby
regresar to go back; to come back, return
rehén *m.* hostage
reír to laugh
reiterar to reiterate
reja grating, ironwork
relación relation
relacionar to have relation, relate
relieve *m.* relief; **alto —** high relief
reliquia relic
reloj *m.* clock; watch
reloj-pulsera *m.* wrist watch
reluciente shining
remover (ue) to stir, churn
rendirse (i) to give up, surrender
renglón *m.* line (*of writing or printing*)
reparar en to notice
repasar to look over, review
repente sudden; **de —** suddenly
repetir (i) to repeat
replicar to reply
reposado calm, gentle
reposar to repose, rest
representante *m.* representative
representar to represent
reprimido repressed
reprochar to reproach
repuesto: de — spare
resbalar to slip
reserva reserve; **de —** as a reserve
resfriado cold
resolver (ue) to solve
resoplido puffing, noise (of breathing)
respecto: con — a with respect to
respetuosamente respectfully
respetuoso respectful
respiración breathing
respirar to breathe
resplandor *m.* glow
responder to respond
restablecer to recover
restaurante *m.* restaurant
resto remnant; remainder; rest
resueltamente resolutely
resultado result
resultar to turn out, turn out to be, be; to result; to happen
resumen *m.* résumé
retirar(se) to withdraw, retire

retrato portrait
retroceder to draw back, move back
reunión *f.* meeting, gathering
revelar to reveal
revisar to look over, supervise
revolcarse (ue) to roll, thrash about
revolución revolution
revólver *m.* revolver
rey *m.* king
riachuelo small river
rico rich
ridículo ridiculous
rifle *m.* rifle
río river
riqueza treasure; wealth
risa laughter
risueño smiling; good-humored
rizar to curl
robar to steal
roca rock
rocío dew
rodar (ue) to roll; to tumble, fall
rodear to surround; to go round
rodeo circuit, detour
rodilla knee; **de —s** on one's knees
rojo red; **lo —** the redness
romántico romantic
romper to break
ronco hoarse; **lo —** the hoarseness
rondar to prowl around
ropa clothes
rostro face
roto *p.p. of* **romper**
rubio blond
rubor *m.* blush
ruborizarse to blush
rudimento rudiment
rueda wheel; **— de repuesto** spare wheel
ruido noise
ruina ruin
rumbo course, direction
rural rural

sábado Saturday
sábana sheet
saber to know; **a —** to wit
sabio wise, learnèd
sacar to take (out); to get (from)
sacrificar to sacrifice
sacrificio sacrifice
sacudir to shake; to switch

sagrado sacred
sala room; living room
salida exit; way out; departure
saliente protruding; projecting
salir to go out, leave; to come out; to stand out; — bien to turn out well, be successful; — con la mía to get my way
salto jump, leap; dar un — to start; se puso de un — he leaped
salud *f.* health
saludar to greet
salvación salvation
salvar to save
sangre *f.* blood
santa (female) saint
santo saint
satisfacción satisfaction
satisfacer to satisfy
satisfecho (de) satisfied (with)
secar to dry
seco dry; en — sharply; suddenly
secreto *n.* secret; *adj.* secret
secuestrador *m.* captor, kidnaper
secuestrar to kidnap
secuestro kidnaping
secular age-old
seguida: en — immediately, at once
seguido: tres años —s three consecutive years
seguir (i) to follow, go on; + *pres. participle* to continue
según according to; as
segundo second
seguro sure
seis six; las — six o'clock
seiscientos six hundred
semana week
semejante such a; similar
sencillo simple
senda path
sensación sensation
sentado seated
sentar (ie) to seat; —se to sit down
sentido sense, meaning
sentir (ie) to feel; to regret; to hear
seña sign, mark; por más —s to be more specific, give more details
señal *f.* signal, sign
señalar to point out, point at
señor sir; gentleman; mister (*not to be*

translated in such expressions as señor profesor)
señorita miss; young lady
señorito young gentleman (*used only by servants*)
separado different, diverse
separar to separate; —se to separate
séptimo seventh
sepulcral sepulchral, deathlike
sepultar to bury
ser to be; — de to belong to; aquí es here it is; here's the place; es que the fact is that; fué de ver la furia you should have seen the fury; lo que habría sido de nosotros what would have become of us; o sea that is; or rather; *n.* being
serie *f.* series
seriedad *f.* seriousness
serio serious; en — seriously
serpiente *f.* serpent
servidor *m.* servant
servir (i) to serve; to be used; — de to serve as; — para to be good for; —se de to make use of
sesenta sixty
setenta seventy
severamente severely
sexto sixth
si if; ¡— me han traicionado! suppose they've betrayed me! por — había posibilidad because of the chance
sí yes; indeed; eso — que me extraña that certainly surprises me; — que reconozco I do recognize, indeed I recognize
sí *pronoun used after prepositions* himself, herself, themselves, *etc.*
siempre always
sierra range
siete seven
siglo century
significación meaning
significado meaning
significar to mean
signo sign, character
siguiente following, next
silbar to whistle
silencio silence
silencioso silent
silueta silhouette

símbolo symbol
sin without
sino but; except; **no es —** it is only, it is nothing but
sino que but
siquiera even; **ni una hora libre —** not even a single free hour
sistema *m.* system
sitiado besieged
sitiador *m.* besieger
sitio place; site
situación situation
sobra: de — more than enough; only too well
sobre on, upon; above, over; about (*a subject*); volver — la pista to return to the trail
sobresaliente outstanding
sobrina niece
sobrino nephew
socarrón *m.* sly one, "wise guy"
sociedad *f.* society
sol *m.* sun
solamente only
solas: a — alone
soldado soldier
soler (ue) to be accustomed
sólido solid
solito all by oneself, all alone
sólo only; — que only; the only thing is that; tan — just, only
solo *adj.* single, sole, only
soltar (ue) to loosen; to let out
solución solution
sombra shadow; shade; ¡ni — del profesor! not a trace of the professor!
sombrero hat
son *m.* sound; tune; en — de guerra ready for battle
sonar (ue) to sound; to resound, ring out; — a hueco to give a hollow sound
sonido sound
sonriente smiling
sonreír (i) to smile
sonrisa smile
sonrisilla little smile
soñar (ue) con to dream about
soplar to blow; to blow away
soplo breath; jiffy
sordo deaf; dull; low

sorprender to surprise
sorpresa surprise
soslayo: de — sideways; from the corner of one's eye (*of a glance*)
sospecha suspicion
sospechar to suspect
sospechoso suspicious
sostener to hold (up)
Sr. *abbreviation for* señor
Srta. *abbreviation for* señorita
subir to go up, climb; to get into; to mount
súbitamente suddenly
súbito sudden; de — suddenly
subterráneo underground
suceder to happen
suceso event
sudor *m.* sweat, perspiration
sueldo salary
suelo ground; soil
sueño dream; sleep
suerte *f.* luck
sugerir (ie, i) to suggest
sujetar to fasten, tie down; to tie up
sujeto individual
sumo extreme; highest; greatest; very great
superficie *f.* surface
suplicante pleading
suponer to suppose
suposición supposition
supuesto supposed; por — of course
suspicaz suspicious
suspirar to sigh
suspiro sigh
sustituir to replace
susto fright; llevarse un — to get a fright, be frightened
susurrar to whisper
suyo his, hers, yours, theirs; los —s your men, her men, *etc.*

tal such, such a; — como just as; something like
talento talent; gift
talle *m.* figure
tamaño size
también also, too
tampoco neither; (*after preceding negative*) either
tan as; so; — sólo just, only
tangible tangible

tanto so much, as much; *pl.* so many, as many; entre —, mientras — meanwhile; poner al — to inform, bring up to date

tapar to stop up, cover

tardar to be long, take (time)

tarde *f.* afternoon; a la caída de la — at nightfall; por la — during the afternoon; *adj. and adv.* late; se hace — it's getting late

tartamudear to stammer

taxi *m.* taxi

teatro theater

techo roof; ceiling

tela cloth; poner en — de juicio to put in doubt, question

telefonear to telephone

telegrama *m.* telegram

tema *m.* theme

temer to fear

temor *m.* fear

temperatura temperature

templo temple

temporal temporal

tender (ie) to stretch (out)

tener to have; — que + *inf.* to have to; ¿qué tienes? what's the matter with you? tenía la naríz roja his nose was red

Tenorio lady-killer, heartbreaker

Tenoztiplán *name of an imaginary town*

tentador tempting

tentar (ie) to feel, grope

tentativa attempt

tercer(o) third

terminar to finish, end

término term

terrateniente *m.* landowner

terreno ground, field, terrain

terrible terrible

terso smooth, unruffled

tesoro treasure

testigo witness

textualmente literally

tiempo time; weather; a — on time; ¿cuánto —? how long? desde hace tanto — for so long a time; mucho — a long while

tienda shop, store

tientas: a — by groping, gropingly, feeling one's way

tierra earth; ground; region; land

tigre *m.* tiger

tímido timid

tío uncle; fellow

tirar to throw; to throw away; to shoot; — de to pull (at, on)

tiro shot

título degree

tocar to touch; to be one's turn

todavía still, yet

todo all; every; everything

toldo awning

tomar to take; — por to set out along; — lugar to take place

tomo volume

tontería foolish thing

tonto *adj.* foolish, silly, stupid; *n.* fool

tormento torture

torrente *m.* torrent, swift stream

tórtolo turtledove

tos *f.* cough

tostar (ue) to tan; to toast

Toto Tony

trabajador worker

trabajar to work

trabajo work

trabajosamente toilsomely, laboriously

tradición tradition; legend

traducción translation

traducir to translate

traer to bring, get

traicionar to betray

traje *m.* suit; costume; — de montar riding costume

trampa trapdoor

trance: en — de in the act of

transitable passable

transportar to carry

tranvía *m.* streetcar

tras after

tratar to deal (with), treat; to address; — de + *inf.* to try to

través: a — de through

trayecto stretch (*of road, etc.*); distance

traza trace

trece thirteen

treinta y dos thirty-two

tres three

tributo tribute

tristemente sadly

triunfante triumphant
tronco trunk
trote *m.* trot
trozo piece, segment, **bit**
trucha trout
túmulo mound, tumulus
turbulento turbulent
turista *m. or f.* tourist

último last
um um
un, uno, una a, an; one; *pl.* some, a
few; uno a uno one by one; unos
quinientos metros about five hundred meters
único unique; only
unido united
universidad *f.* university
universitario university, pertaining
to a university; (*as n.*) university
graduate
uña (finger)nail
usar to use
usual usual
utilizable usable; utilizable

vacación vacation; *pl.* vacation
vacilar (en) to vacillate, hesitate (to)
vacío empty
valer to be worth; —se de to make
use of, avail oneself of
valiente brave
valioso worth while
valor *m.* worth, value
valle *m.* valley; — de México *the
great basin surrounded by moun-
tains in which the City of Mexico is
located*
vanagloriarse to triumph
vano vain
vaquero cowboy
vario different; *pl.* several
vaya go on! ¡— que le mataremos!
I'll say we'll kill him! ¡— un profesor! what a professor! a fine professor!
Vd., Vds. *abbreviations for* usted,
ustedes
vecino neighbor
vegetación vegetation
veinte twenty
veinticinco twenty-five

veinticuatro twenty-**four**
veintidós twenty-two
veintitrés twenty-three
veintiuno twenty-one
vejete *m.* little old **man**
vendar to bandage
vendedor *m.* vendor, **seller**
vender to sell
veneración veneration
venir to come
venta sale; estar de — to be for **sale**
ventaja advantage
ventana window
ventura luck; por — by chance
ver to see; a — let's see; fué de —
you should have seen; tener que —
con to have to do with
verano summer
verdad *f.* truth; a decir — to tell the
truth; es — that's right, it's **true;**
— que it is true that; of course
verdadero true, genuine
verde green
vereda path
vestir (i) to dress; — de to dress as;
to be dressed in
vez *f.* time; occasion; a la — at the
same time; a (su) — in (his) turn;
cada — más constantly more;
de una — once and for all; de
en cuando from time to time; dos
veces twice; otra — again; una —
once; una y otra — again and again
viajar to travel
viaje *m.* trip, journey
víctima victim
vida life; living
viejo old; *m.* old **man**
vigilante vigilant
vigilar to watch
vindicar to vindicate
visible visible
visita visit, call; de — on a **visit**
visitar to visit
vista gaze, look; view; sight
visto (*p. p. of* ver): por lo — apparently; obviously
vistoso brilliant, flashy
visual visual
vital vital, of life
viuda widow
vivienda dwelling place

viviente living

vivir to live

vivísimo most acute

vivo keen, lively, alive

volante *m.* steering wheel

volar (ue) to fly; hacer — to blow up

volumen *m.* volume

voluntad *f.* will

volver (ue) to turn; to return; —se to turn round; — a (salir) to (leave) again

votar to vote; ¡si es que votan! if they do vote! — a to swear to

voz *f.* voice; a media — in a low voice; en — baja in a low voice

vuelta bend; turn; return; ¡a la vuelta! turn back! dar la — to turn, turn round; de — a when (I am) back in; estar de — to be back; venir de — to come back; ya hemos dado dos —s we have already made two trips

vuelto *p.p. of* volver

week-end *m.* week-end

ya already; now; soon; — no no longer; — fuesen éstas whether these were

ya que since

zapato shoe